KB103366

무지개는 없어

#비 온 뒤 흐림

이 겸 지음

차례

작가의 말

안녕하세요, 이겸입니다.
'늪에 빠진 달'을 읽어 보시면 아시겠지만

저의 5년간의 삶의 우울을 담았고,
불안정한 모습을 사랑하려고 애쓴 만큼
사람들에게도 공감 어린 위로를 주고 싶었어요.

이번 책은 조금 밝은 느낌으로 작업해 봤는데,
우울이라는 주제가 빠지면 완전한 내가 아닌 것 같고
허전한 느낌이 들어서 이번에도 함께 왔습니다.

감정 중에 우울을 제일 편애하거든요.
불안한 점이 제 모습과 닮았어요, 흔들리는 것도요.
그래서 가장 사랑합니다.

제 감정이라는 걸 인정하기까지
너무나 오랜 시간 걸리긴 했지만요.
감정을 다 수용한다는 게, 그렇게 어려운 일인지 몰랐어요.

이제는 행복과 따스함도 느끼며
적절하게 우울을 조금은 다스릴 수 있는 것 같습니다.

제 두 번째 삶을 읽으러 와주신 독자님께 감사드립니다.

_겸 드림

1장,

눈에 비치던 모습들
#과거를 유영하고 있어

#사랑의 경험 그리고 깊이

사람은 사랑의 경험이 많아야 한다.
물론 경험이 없는 것보단 많은 게 유리하다.

하지만,
정말 순수한 마음을 가지고 다가온 사람에게는
수많은 경험이 소용이 없다.
과거에 얼마나 깊었는지도 소용이 없다.

그 사람의 순수한 마음을 발견하고 나면
다른 사랑은 희미해지기 때문이다.

이 사람이 아니면, 안 될 것 같다.
이 사람에겐 없는 시간도 만들어서 만날 수 있겠다,
무엇보다 우선시할 수 있겠다, 라는 마음이 든다면
'이번에도 경험이겠지'가 아니라
깊어지고 더 깊어져 평생 함께하고 싶은 사람으로 만들길.
사랑은 망설이는 순간 저 멀리 빠르게 도망가기 바쁘니.

#혼날 때의 얼룩

어릴 땐 혼날 일이 잦았다.

당시에는, 체벌이 가능했고 부모님께서 엄한 집이 많았다.
그럴 때마다 무릎을 꿇고 손을 들며 글썽였다.

그러다 시간이 지나면,
혼내는 목소리는 들리지 않고 손과 발이 저려온다.
생각을 옮기기 위해 바닥의 얼룩을 뚫어지게 쳐다본다.

그러면 그 얼룩은 맛있는 빵이었다가 귀여운 토끼였다가
꿈에서 나올법한 괴물이나 귀신이 되어있기도 하고.
어느새 손과 발 저림은 까맣게 잊은 채 눈물도 뚝 그친다.
얼룩이 그 자리에 있어 줘서 조금은 덜 외로웠다.

어린 시절의 추억이지만 깨달은 사실이 있다.

남의 말을 무조건 귀담아 듣지 않아도 된다는 것이다.
물론 아닌 경우는 피해 들어야 하지만,
아닌 경우가 대부분이다.
괜히 마음에 다 담아두며 힘들어하지 말자.

#비의 흔적

물웅덩이,
이름마저 귀여운 웅덩이,
비가 오면 장화 신고 뛰어노는 웅덩이
참방참방 소리도 경쾌해.

어릴 때는 웅덩이 속에 다른 세상이 있을 거라 생각했다.

그래서 힘차게 점프해 웅덩이로 들어갔다가 옷만 젖고,
물에 젖은 김에 '온몸으로 비를 맞자!' 하며
장대비를 흠뻑 맞고 집으로 돌아왔다.

그렇게 뛰어놀다 집으로 돌아왔을 땐
왜인지 상쾌했다.

젖은 옷을 벗어 던지고 뜨끈한 탕에 몸을 녹이고 나오면
어머니께서 타 주시던 유자차,
그게 그렇게 맛있었다.

지금은 유자차 양이 너무 많아 잘 마시지도 않고
비를 맞고 탕에 들어갈 이유가 없다는 핑계로 사지 않지만.

장마가 다시 찾아오면,
비를 흠뻑 맞으러 밖으로 나가보는 건 어떨까.

걱정과 근심이 조금이나마 씻겨나갈 수도 있지 않을까.
어쩌면 따뜻한 유자차가 기다릴지도.

#온통 주황색이었다

어느 날, 이상한 기운이 감돌아 창밖을 바라보니
비가 한창 내린다는 일기예보가 무색하게도
세상이 이상했다.
온통 주황빛인 낮이었다.

비가 주황색으로 올 리는 없고,
그렇다고 구름이 온통 주황색일 수도 없었다.

그런데 그날은 이상하게도,
나무도 땅도 집 옆 유치원의 벽타일도 주황빛이었다.

너무 예뻐서 정신이 빼앗겼다.

물렁 해진 홍시가 아니라 아직 딱딱한 단감색을 띠었다.
쉴 새 없이 눈의 셔터를 닫았다 열었다 반복했다.

비가 온 뒤의 무지개가 오류가 난 게 틀림이 없었다.
주황빛만 이상하리만큼 많이 내뿜은 것이다.
그것만으로 밖에 설명이 되지 않았다.

회색이나 어두운 계열의 색이 더 좋지만,
가끔은 다른 색도 좋아질 것 같았다.

내가 좋아하는 바다도 밤이 오기 전엔 항상 주황빛이었지,
잊고 있었다 내 추억 한 장면을.

이제야 되찾은 기분이라 그렇게 기분이 들떴었나,
가끔 찾아오는 몽롱함이라 들떴었나.
다시 나를 살리는 이런 순간들이 곁에 자주 왔으면 좋겠다.
주황색이어도 파란색이어도 상관없으니.

자신만의 색이 자주 또는 드물게 찾아오기를 바란다.

#늦게 도착하게 만든 편지

여행을 다니다 보면 간간이 보이는 곳이 있다.
바로 1년 뒤 도착하는 엽서 같은 것,
일부러 늦게 도착하게 만든 시스템을 가진 편지함.

전 그런 곳을 지나치지 못하고 멈춰 선다.
보이면 꼭 들러 한 줄이라도 미래의 나에게 써서
그 옆의 작고 빨간 우체통에 넣고 돌아온다.
그러다 잊힐 때쯤 엽서가 한 장 도착하고.

이게 뭐지? 하며 열어보면 삐뚤빼뚤한 글씨로 적어 내려간
내가 새긴 추억이 와있다.

그렇게 하나의 추억을 반으로 나누어 받았다고 생각한다.
그렇게 조금씩 삶의 의지가 올라가는 것 같은 느낌도 들고.

지금은 많이 사라진 시스템이지만,
1년 뒤 우편함 같은 곳이 있다면
미래의 나에게 편지를 써보는 건 어떨까.

다시 받은 그 작은 엽서 한 장에
그날의 온도, 감정들을 선물 받은 기분일 것이다.

#큰 귤이 시다

어머니께서 귤을 사 오셨어요.

보통 작은 귤이 시고 큰 귤이 달았기에
작은 귤을 시식하고 큰 귤을 사 오셨던 것이었죠.

어머니의 말대로 작은 귤이 아주 달았어요.

작은 귤이 하나였기 때문에 그다음은 큰 귤을 먹었어요.
근데 이게 웬일인지 큰 귤이 너무너무 셨어요.
'이 귤만 그렇겠지' 하고 다른 큰 귤을 먹었는데 같았어요.

이런 상황처럼 내 상황과 마음이
마음대로 되지 않는 때가 종종 있어요.
그냥 그럴 수도 있는 일인데 말이죠.

사람의 첫인상을 보고, 저 사람은 뾰족한 마음을 가진
사람일 거야 생각하는 것도 마찬가지인 것 같아요.
알고 보면 속은 여리고 부드러운 사람일 수도 있는데
이제부터라도 유심히 들여다보고 생각해 봐야겠어요.

#아무것도 알려주지 마

똑같은 일상을 살다가 툭 튀어나오는 말,
사소한 것을 알려주려는 말.

그런 것을 들을 때 나는 불안해진다.
왜인지 이걸 알려주는 게 나를 떠나기 전의 준비인 것
같아서.

그래서 알고 있으니 알려주지 말라고 말하곤 한다.
내 마음이 너무 불안해지니까.

그런 의도가 아니었을지 몰라도
살면서 그런 경우를 더 많이 겪어 왔으니까.
나도 모르게 방어 태세를 취하게 된다.

알려주는 그 순간은 걱정과 미련의 마음으로 가득하겠지만,
훗날 생각해 보면 가르쳐 주었던 것들을 하나씩 실패하면서
더 가득히 생각나는 사람이 될 것이다.

#사람, 저마다의 계절

보통 지인이나 친구들을 만날 때 약속을 잡고 만나곤 한다.

만나는 사람에 따라 날이 아주 좋아도
금방 비가 쏟아질 것 같은,
불안감에 휩싸여 조마조마한 날이 있다.

또 어느 날은,
추운 계절인데도 살랑살랑 봄 같은 마음이 들 때도 있다.

참 매력적이다.
마음의 온도에 따라 계절을 바꿀 수 있다는 점이.

만나는 사람이 설레는 사람이면 봄바람이 불어오는 것 같고
면접을 갈 땐 마치 여름 같이 땀이 나고
헤어지러 가는 길엔 바람이 쌩쌩 부는 겨울 같기도 하듯이.

시간이 지나면,
사람마다 각자의 온도와 계절이 생기는 것 같다.

#재단기 같은 사이

첫사랑이 딱 그래요.
재단기로 깔끔하게 자를 수 없는 그런 사이요.

연애가 끝이 나면 깔끔하게 끊어 버려지지만
첫사랑만은 그럴 수가 없는 것 같습니다.

아직도 생각이 진하게 나요.
멍한 시야로 바라보던 눈동자의 반짝임 같은 것.
신발 끈이 풀리면 묶어주던 손길 같은 것.
립밤이 없을 때 나누어주던 조그맣고 귀여운 입술 같은 것.
나를 위해 항상 챙겨 다니던 작은 소지품 같은 것들.

참 아기자기하고 마음이 여렸던 사람이었죠.

사랑만으로도 사랑이 되던 나이,
철없던 세상을 함께 거닐었던 사람이 첫사랑 같아요.

시간이 많이 지나 아주 가끔 생각해요.
그 사람도 나를 그렇게 생각하고 있을까.
잘려 나간 기억이 아닌 사람이었으면 좋겠다.
그렇다면 참 좋을 텐데 하고요.

#비 온 뒤 무지개 같은 것

널 만난 건, 폭우처럼 쏟아졌던
지난날 나의 우울함에서 갇혀 있을 때였어.

우산을 아무리 쓰고 우비를 입어봐도,
온몸이 매일 흠뻑 젖을 만큼 아팠을 때.
화창하기만 했던 나의 인생에 처음으로 비가 내렸을 때.

손 내밀어 주며 이 비를 같이 맞아주겠다고
우리 지금 여기서 같이 춤추자고
이런 게 낭만이지 않겠냐고.
나를 그렇게 다독다독 해주며 천천히 길을 벗어나
구멍이 난 너의 처마 밑으로 끌어줬어.

그게 그렇게 좋더라.

차가운 빗속에서 잡은 너의 따스한 그 손이
나와 함께 발맞추며 천천히 추던 우리의 춤이
지금은 내 곁에 없지만 그렇게 나를 꺼내어줘서 고마워.
덕분에 비를 피하지 않는 법을 배웠어.

이렇게 행복한 순간을 나누어준 너의 행복을 빌게.

그만큼 나의 행복이 없어지는 것이 아니라
더 커지는 일이니까.

#고백은 아침에

뇌는 아침에 한 말을 더 오래 기억한다고 한다.

어쩌면 당연한 일이 아닌가 싶다.

아침에 일어나서 사랑한다는 말이나,
듣고 싶었던 말을 들으면 종일 생각 나겠지만,

잠들기 전 하는 말은 어떤 달콤한 말이라도
일시적이게, 기억할 수밖에 없다.
꿈을 꾸거나 자는 사이 희미해지니까.

종일 그 사람의 기억에 남고 싶다면,
일어나자마자 떠오르는 소중한 이가 있다면.

아침에 고백해 보자.
어쩌면 달콤한 일이 일어날지 모르는 일이다.

#밤의 낮달

저는 낮달을 참 좋아해요.
물론 밤에 뜨는 초승달도 좋아해요.

그리고 낮보다는 새벽을 더,
새벽보다는 깊은 밤이 더 좋아요.
심장이 두근거리는 일보다는 편안함이 더 좋아요.

이렇듯 사소한 것들 속에도 좋아하는 것이 있어요.

질리도록 싫은 일과 힘든 사랑 속에서도
좋아하는 면을 찾아볼까요.

삶을, 인생을 더 사랑하는 계기가 될 겁니다.

#펜으로만 전해지는 마음

펜으로만 전해지는 마음들이 있다.
편지나 마음속 메모 같은 것.

텍스트로 쳐서 뽑아서 주는 것도 정성이 있겠지만,
직접 종이를 펼치고 손에 펜을 쥐고 써 내려가는 마음들.
마음까지 뽑아주는 인쇄기는 없을 거다.

특별한 날에 보통 손 편지를 자주 쓴다.

하지만 특별하지 않은 날에도 가끔 나의 마음을 담아
가까운 사람에게 전해보자.

배로 전해진 내 마음이
상대 마음에 더 가까이 붙을 거라, 생각하며.

서툴고 삐뚤빼뚤한 글씨여도 좋다.
누군가에겐 서툴고 꾸며지지 않은 모습이
더 아름다울 수 있다.

#비에 녹은 마음

장대비가 쏟아지는 날 이별을 했던 날이 기억나요.
친구와 만나 술을 마시고 집으로 돌아가는 길이었죠.
갑자기 비가 내리기 시작하더니 막 쏟아붓는 거예요.
당황했지만 집이 근처라 뛰어가면 되겠다 싶었어요.

그런데 뛰다가 보니,
먼 길로 돌아가고 싶은 마음이 들었어요.

그렇게 비를 맞으며 천천히 먼 길로 돌아 집으로 가는 길,
제가 몹시 처량하게 느껴져서 바닥에 주저앉아
펑펑 울어버렸어요.

그 비가 내 눈물을 닦아 함께 내려주는 것 같았죠.
집에 갈 생각은 안 들고 한동안 앉아 울다가
집으로 들어가 따뜻한 물에 몸을 녹이고 잠자리에
들었어요.

그때의 그 후련함과 따스함을 잊지 못해요.

누구나 한 번쯤은 비를 맞아 본 적이 있을 거예요.
그 비가 가랑비든 장맛비든.

그 순간의 감정이 어땠는지 혹시 기억나나요.
우리 함께 다시 그 빗속으로 뛰어들어 볼까요.

#같은 물건

물건을 사면 같은 것을 유지하려 애쓴다.
같은 펜, 같은 공책, 같은 색 같은 것들.

맞추어져 있어야 마음이 편하고
특히 글에 관련 되어있는 물건들은 꼭 같은 것을 고른다.
글의 흐름이나 느낌이 달라지는 징크스가 있기 때문이다.

그래서 철 지난 물건들이 고장이 났을 때도
비싸더라도, 더 좋지 않더라도 같은 물건을 산다.

마음도 비슷하다고 생각한다.

나와 같은 마음을 지닌 사람들,
오래된 사람을 좋아하고 아낀다.
그렇기에 넓은 관계보다 좁고 깊은 관계가 좋다.

내가 새로운 사람을 만나더라도 마음이 안 가고
안 만나게 되는 이유도 여기에 있을 것이다.

하지만 사랑은 다르다.
새롭게 알아가는 마음이 얼마나 두근대는지,
그 새로운 감정들을 만나는 게 얼마나 벅찬 일인지.
알던 사람에게 느껴지는 것보다
더 큰 감정을 써야 하는 사랑이기에,

대신, 차갑게 보고 결정해야 한다.
큰 감정인만큼 크게 다가와 아픔을 줄 수 있으니.

#겸

내 이름의 한자는 겸할 겸이다.
자연을 사랑하고 아끼고 다른 사람들을 포용하라는 뜻이다.
그렇게 모든 걸 아우라는 뜻의 한자.

사실 아직 난 미숙하다.
자연을 사랑하는 마음은 충만하지만
어려운 건 사람 마음을 포용하는 것이다.

어떻게 해야,
모든 사람의 마음을 포용하고 이해할 수 있을까.
생각해 보고 여러 가지 나름대로 실천하다가 깨달았다.

나는 내 사람들만 포용하면 된다는 것.
나를 응원하고 사랑해 주는 주변 사람들만 챙기기에도
우리의 인생은 짧고 소중하다.

그때부터,
아닌 건 버리고 맞는 것만 가지는 습관을 들였다.
그랬더니 내 이름과 맞는 삶을 살게 되었다.

나뿐 아니라,
내 주변 사람들도 그렇게 다가오는 게 느껴졌다.
홀가분했다.

우린 모두 가치관, 성격, 살아 온 환경마저 다르지만
하나는 같아지기로 하자.

내 사람을, 내 시간을 소중히 여기는 일.

그것보다 중요한 건 없다.
세상에서 제일 소중한 건 당신이다.

#무채색 낭만

낭만은 사실 무채색이다.
과거가 낭만이 되는 일이 많기 때문일지도 모른다.

과거에 좋았던 경험
그 사람과의 추억 같은 것.

이제는 너무 멀어 무슨 색이었는지 형용만 할 뿐
생각이 나지 않는다.

그래서 낭만을 무채색이라고 여긴다.

가끔은 무채색인 하루를 보내보는 것도 좋지 않을까.
과거에 엉켜있는 무채색의 날.

#바다의 인절미

그와 바다를 갔을 때.
해가 쨍쨍한 여름이었죠.
비가 와서 놀 수는 없었지만.

다음 날은 아쉬운 마음을 안고 떠나려는데 해가 떴어요.
우리는 신이 나서, 캐리어도 집어 던지고
바다로 달려 들어갔어요.

잠시, 영화 속의 주인공이 된 듯한 느낌이 들었죠.
약간의 가랑비와 우리의 시간과 흩날리는 물방울들.

그 사람은 항상 나를 주인공으로 만들어줬어요.

우리는 물방울들과 사랑을 증명하고,
모래사장으로 나와 모래찜질을 했어요.

저는 모래에 갇히는 게 무섭다고 했고
그 사람은 나를 반만 묻어 주었어요.

마음이 따뜻해서인지,
물이 차가웠던 탓인지는 잘 모르겠지만
숨 막히지 않도록 해주고 몰래 사진을 찍어 보여주었어요.

너무 귀엽다고 사랑스럽다고.
세상에서 제일 행복했어요.

우리의 커플티와,
바닷물에 젖어 모래에 들어갔다 나온 나의 다리의 모래알들
그리고 나를 덮어주던 그 사람의 손에 묻은 모래알까지.

서로 콩고물 같다며 귀여워했고,
간단하게 샤워장에서 화장실에서 대충 닦은 몸으로
간단하게 간식거리를 사서 버스를 타고 집으로 오는 중
잠이 들어 까딱거리는 얼굴이 귀여워
머리를 어깨에 기대주며 웃음 지었어요.

바다를 좋아하는 나를 위해 항상 바다로 떠나줬던 사람.

손만 닿을 거리라면 미친 척 뛰어가 안아주고 싶어요.
너무 보고 싶어요, 당신.

#싸워도 우산은 써

사랑이란 게,
참 모순적이에요.

싸워도 우산을 씌워주는 것처럼요.

#습기 제거제

여름,
장마철이면 습기 제거제는 필수로 사는 물품 중 하나다.
비는 습기 제거제가 있어 습기를 유지할 수 있지만,

눈물은, 아픔은 제거제도 없이 눅눅함만 가득 차오른다.

어떻게 해야 할까.
가만히 방치 해두면 더 쌓여만 가는 게 마음일 텐데.

임시방편이라도 좋으니,
잠시 막아 둘 수 있는 반창고가 필요하다.

슬플 때 펑펑 우는 것이 될 수도 있고,
슬픔을 나눌 사람을 찾는 것일 수도 있다.

그렇지만 사랑으로 덮지만 말자.
사랑은, 나 혼자만으로도 행복할 수 있을 때 하는 거니까.

#검은 세상

어릴 적 누구나 이런 경험이 있을 것이다.

누군가 눈을 감아보라고 하고 뭐가 보이냐고 물으면
깜깜해서 아무것도 안 보여 대답하고,
'그게 네 미래야' 하는 그런 장난.

물론 농담이겠지만,
다르게 생각해 보면 맞는 말인 것 같기도 하다.

하지만 실망할 필요는 없다.
검은 세상에도 명도는 존재하니까.

#사랑싸움

사랑을 하면 맞지 않는 부분들이 넘쳐난다.
그 때문에 우리는 연인과 다툼이 일어난다.

다툼이란 같은 짐을 함께 들고 있다가
한사람이 놓아버리는 것.

화해는 놓아버린 짐을 다시 함께 주워 담는 것.

하지만 주워 담았다고 해서,
바닥에 남은 작은 조각들은 사라지지 않는다.

처음부터 잘 조율하고 함께 들고 갈 짐을
서로 배려하며 들고 가야 한다.

#어이가 없네

살다 보면 작은 것의 소중함을 느낄 때가 있다.
마치 맷돌 손잡이가 없어 돌릴 수 없는 것처럼 말이다.

큰 목소리보다 작은 목소리에 더 집중하듯
큰 것보다 작은 것에 더욱 귀를 기울이고 살펴야 한다.

그렇지 않다면 우린 서서히 이별해 갈 것이다.

이별은 익숙해지지 않는다.
이별은 무뎌지지 않는다.

상대의 작은 목소리와 행동을
조금 더 섬세하게 보라는 말이다.

#처음인 것

세상에 처음이 아닌 것이 있을까요.
날씨도 마음도 모두 완전히 같을 수는 없는데.

첫 만남에서의 첫인상도 사람마다 모두 다르고.
나의 마음이라고 다르지 않을 수는 없잖아요.

항상 처음을 살고 있어요.
새로운 마음으로.

#받는 마음

작은 선물이나 손 편지를 주는 것을 좋아한다.
그래서 아는 지인들이나 친구들에게 선물을 자주 했었다.

하지만 어느 순간부터 그 순간들이 줄어들었다.

애써 생각해서 주었지만,
받는 사람의 얼굴이 좋지 않은 걸 보고 난 후.

주는 사람의 마음과 받는 사람의 마음은 다르다.

생각해서 고르고 골라
주고받을 것을 생각하지 않고 줬지만,
주는 마음보다 상대의 표정이 아프게 느껴질 때가 있다.

뭐든 건 적당히,
상대의 입장에 서서 또 한 번 생각하게 되었다.

아무리 내가 좋아서 준다 해도
받는 사람의 마음이 없는 건 어쩔 수 없는 일이니까.
상처받아도 그것도 내 몫이니까.

#깨진 액정

가족들과 여행을 갔을 때,

한 달도 안 된 핸드폰을 들고 뛰다가 금이 가서,
무릎이 까진 줄도 모르고
여행 내내 금만 바라보던 때가 있었다.

금이 간 곳을 매일매일 바라봤지만
아무 일도 일어나지 않고 정상으로 작동했고,

그렇게 일 년이 지나고 나니
점점 더 깨진 금과 터치가 안 되는 핸드폰이 되어있었다.

그렇게 한번 금이 간 쪽은 더 잘 깨지기 마련이다.

한번 상처받았던 마음이라고 덜 아프지는 않다.
그리움도 만난다고 해서 덜 그리워지는 건 아니다.

상처가 흉터가 되어 덜 아픈 게 아닌 것처럼.
흉터를 볼 때마다 그 장면이 생각나는 그런 것.

금이 생겼을 때 잘 고쳐주자.
더 덧나지 않도록.

#세상의 순서

전 세상의 순서대로 살지 않았어요.
철저히 무시한 채 살았던 것 같습니다.

중학교 때까지는 잘 다녔지만,
고등학교 때 자퇴하고, 복학했다가 또 자퇴했어요.
그리고 검정고시를 보고 대학을 1년 늦게 들어갔죠.

노는 것을 좋아해서 많이 놀고 일탈도 하고,
부모님 속도 많이 썩였어요.

엉뚱하다는 소리도 많이 듣고
요즘 애들 같지 않게 어른스럽다는 소리도 많이 들었죠.

남들 다 가는 수학여행도 못 가보고
수능도 안 보고 남들 공부하는 시간에 놀았어요. 미친 듯.

정해져 있는 코스를 따라가지도 않았어요.

광고디자인을 전공했지만, 화장품 판매 일을 했고
공부도 안 했었지만, 뒤늦게 공부를 시작해서
심리상담 쪽 자격증도 많이 땄어요.

그래도 이렇게 잘 살고, 작가라는 직업을 얻었어요.

인생에 정해진 순서를 지킬 필요는 없어요.
틀을 만든 세상의 바람이죠.

지금이라도 늦지 않았어요.

남들보다 조금 느리고 힘들다고,
생각이 들 수도 있겠지만.

아니에요.
아무렇지도 않아요.

당신은 언제나 어느 곳에서나 해낼 수 있는 사람이에요.

#공연이 끝나고

복학했었을 때.
잘 기억은 안 나지만 시민회관에서 춤 공연을 하고
친구들과 기숙사로 뛰어가는 길이었던 것 같아요.

무언가 늦었는지 신이 나서 그랬는지는 모르겠지만
뛰다가 그만 가방에서 향수가 떨어져 깨졌어요.

그때의 기억이 생생해요.
향도 생생하고요.

그리고 대학 때는 같이 다니던 동기들과 술을 한잔하는데
노래 이야기가 나왔어요.

어떤 노래를 들으면 기억나는 장면이 있냐고.

저는 뭐라고 답했는지 기억이 나지 않지만
한 친구의 노래만 기억이 나네요.

이렇게 사소한 순간에도 기억이 나는 사건들이 겹치면
새로운 기억이 되는 것 같아요.

한번 만들어 보는 건 어떨까요.
나만의 라디오 속 사연.

#너와 헤어지고

너와 헤어지고 오랜 시간이 지났어.
아직도 여전하게 그리울 때가 있어.

이건 네가 그리운 게 아니라
그때의 감정들이 그리운 거겠지.

몇 년이 지나고 나서 어떤 노래 한 곡을 들었는데
네 향이 아주 깊게 나더라.

제목도 가사도 모두 너를 향해있었어.

지금도 그 노래를 듣고 있어.

오늘은 비가 많이 온다.
넌 지금도 여전하니.

오늘은 네가, 진하게 스며들도록 그리워해야겠다.

#진단

처음 우울증과 공황장애의 진단을 받은 날은
제 발로 병원을 찾아갔어요.

2주 정도 버티다가,
계산조차 하지 못하는 저를 보고 저조차 놀랐죠.

병원에 가서도 말하지 못하지 않을까,
걱정되어 종이에 증상들을 적어갔고

그 후로도 몇 달여간을 그렇게 진료를 받았어요.

지금은 병원도 옮기고 의사 선생님도 바뀌었지만
그렇게 많이 떨리고 두근대지 않아요.
감정조절을 잘하지 못해 우는 횟수도 아주 많이 줄었어요.

언제 끝날지 모르는 이 약 봉투들과
우울들의 출처를 당장이라도 지우고 싶지만
그렇지 않아도 전 행복해요.

그만큼 행복은 상대적인 것 같아요.

제일 아팠을 때를 생각하면 지금이 더 낫듯이.
병원을 찾아가는 일이 수월해진 것이.
아픔을 남에게 이야기하는 것이 두렵지 않아진 것이.

우울은 부끄러운 게
아니라는 선생님 말씀을 듣고 인정하게 되었어요.

아주 오랫동안,
다른 감정들보다 수면 위로 떠다니던 나의 우울을.

진단만 받지 않았을 뿐이지
우린 모두 우울함과 불안, 모두 가지고 있죠.
그 정도와 깊이만 다를 뿐.

괜찮아요.
나약한 저도 이렇게 견뎠는걸요.

지금 당신이 어떠한 이유로든 힘들다면
극복할 거예요. 반드시.

#단골 음식

나는 한 음식에 꽂히면 그 음식만 먹는다.

화장품 판매 일을 했을 때는,
아래층 가게의 비빔국수만 먹었고
또 어느 때는 근처의 중국집에서 짬뽕밥만 먹었다.

옷 가게도 마찬가지이다.
한 쇼핑몰에 꽂히면 그 쇼핑몰만 이용한다.

그렇게 하면 나만의 편안한 시간이 만들어진다.

먹는 맛이 같고 비슷한 옷들이 많으면
내 생활이 평온해지는 느낌.

그렇게 자신의 단골집을 만들면
작은 평온함이 온다.

그 단골집처럼,
우리의 마음에도 평온한 시간이 올 수 있는
물건 혹은 음식을 먹는 시간 같은 것을 만들면 어떨까.

한층 나른해지고 마음의 응어리가 풀릴지 모르는 일이니.

#슬리퍼를 신고 만나는 사이

슬리퍼를 질질 끌고
집 주변의 작은 술집으로 들어가 간단한 안주를 시키고
소주 한 병을 나누어 마시며 오순도순 이야기하는 일.

그러다 흥이 오르는 날엔,
맥주 한 잔 더하고
다시 슬리퍼를 끌며 집으로 돌아오는 길.

날씨가 아무리 추워도
따스함과 약간의 취기가 더해져 더욱 따스한 일.

그 속에서 우리만의 낭만을 느끼는 것.
장황한 말이 아니어도 함께 만으로 마음을 울리는 것.

어쩌면 이런 것들이 마음을 치유해 주고,
사람들이 원하는 사랑이 아닌가 싶다.

#무의식적으로

맛있는 것을 먹거나, 예쁜 것을 볼 때,

제일 먼저 생각나는 사람이 있나요?
슬플 때보다 기쁠 때 진심으로 축하해 줄 사람이 있나요?

나의 거짓 모습을 보이지 않고
민낯으로 대할 수 있는 그런 사람.

그런 사람이 있다면
당신은 참 행복한 사람이에요.

의식적인 것보다 무의식적으로
생각나는 사람이 있다는 건, 필시 사랑이니.

#넌 어차피 안 떠날 거잖아

누가 그래요, 안 떠난다고.

처음 만났을 땐,
간이며 쓸개며 다 빼줄 것처럼 굴더니
이젠 어항 안의 물고기라 이건가요.

사랑의 마음은 가끔 밥이나 주면 알아서 크고
화나도 잠시 뒤면 히죽거리는 금붕어가 아니에요.

물건은 시간이 지날수록 관심이 떨어질 수 있어요.

하지만 사랑은 물건보다는 나무 같은,
시간이 지날수록 더 아끼고 아껴줘야 하는 존재예요.

'우리가 어떻게 헤어져' 라는 드라마의 말은 드라마일 뿐.

우리는 노력이 없다면 쉽게 헤어질 수 있어요.
명심하세요.

사랑은 어항 안의 금붕어가 아니에요.

#아오리사과

어릴 때, 아오리사과를 참 좋아했어요.
제철이 되면 어머니께서 항상 사다 주실 정도로요.

초록색의 그 사과가 다 익었다는 사실이 신기하기도 했고
맛이 약간 시면서 일반사과와 맛이 다른 사과였거든요.

십여 년이 지나서 갑자기 아오리사과가 먹고 싶어졌어요.
과일가게로 곧장 달려갔어요.

초록색의 탐스러운 사과를 사 와서 한 입 먹었는데,
그 사과는 그냥 덜 익은 사과였어요.
떫고 푸석거리고 맛이 없었어요.

겉으로 보기에는 똑같았었는데,
품종이 다른 사과였어요.

우리는 겉모습만 보고 사람을 판단해요.
속은 알지도 못하면서.

잘 살펴보면 다른 것이 보일 건데 말이죠.
마치 같은 초록이라는 점에서 사과를 고른 것처럼요.

#우리들의 아지트

동생과 의자와 이불을 쌓아
아지트를 만들며 놀았던 기억이 있어요.

우린 그걸 아지트라 부르고,
우리만의 세계인 양 누비고 다녔죠.
그 좁은 곳에서 안락함이 느껴졌어요.

그래서 우리는 인형도 가져오고
엄마 몰래 조촐한 과자 파티도 하고 밤새워 놀았죠.

그렇게 작은 공간에서도 안락함을 느꼈었는데
왜 지금은 더 큰 공간과 나만의 공간이 있는데도
그 안락함과 편안함이 느껴지지 않을까요?

이게 어른이 되었다는 증거일까요.
아직도 어른이 될 준비가 안 되었는데,

오늘은 나만의 아지트를 만들어봐야겠어요.
내가 마음 편히 누울 수 있는 그런 작은 아지트.

#500원짜리 추억

학교 갔다 돌아오는 길에 트램펄린 천막이 있었어요.
우리는 그걸 방방이라고 불렀습니다.

그 트램펄린 천막엔,
나이가 지긋하신 아주머니 한 분이 계셨어요.
그리고 슬러시 기계가 있었죠.

백 원짜리 동전들을 꼭 쥐고 천막으로 찾아가서
아주머니께 드리면 작은 수첩에
이름과 타고 내리는 시간을 적어두시고
잠에 드셨어요.

500원에 30분.

신나게 뛰어놀다가 내릴 때면
아주머니가 손에 쥐어주셨던 슬러시가 그렇게 맛있었죠.

주무시느라 내리는 시간이 지나도 모르는 척도 해주시고
우리는 내리라고 부르는 이름을 듣고도
모른척한 적도 많았어요.

지금 생각해 보면 언제 뛰었는지 기억이 안 나요.
심장 가득 터질 정도로 뛰어 본적이 언제인지,
내게 가슴 벅찼던 일이 언제였던지.

어릴 적 기억 속에서만 사는 500원짜리 벅참.
그 벅참이 조금 그리워지는 하루입니다.

#집 지어드릴게요

동생과 내가 고등학교 때.
뭣도 모르고 우리 집 작은 밭에
집을 지어드린다고 이야기하던 때가 있었어요.

스무 살이 되면, 어른이 되면 다 이루어질 줄 알았죠.

당연히 착각이었어요.
우리는 아직도 집을 못 지어드렸죠.

패기는 미성숙한 어른 흉내밖에 안 돼버렸지만,
지금 와서 생각해 보면 그리워요.

지금은 할 수 없는 생각들을 많이 했고
할 수 없을 것 같던 일을 거침없이 그냥 했으니까요.
재고 따지고 하는 것 없이요.

그래서 시간이 거꾸로 흐른다고 하나 봐요.

나이만 어른이지,
두려운 게 더 많아지고, 아는 것이 많아지면
할 수 없다고 생각하는 게 더 많아졌으니까.

#네 눈에 비치던

당신의 눈에 비치던 건 내가 아니었어.
과거의 그 사람이었어.

난 그저 그 사람의 대체품이었고.
당신은 날 사랑한다며 마주 보고 있었어.

같은 곳을 봐야 사랑이라던데,
당신은 날 사랑하지 않았어.

원래 바쁜 사람이라며,
휴대폰은 거의 안 본다던 당신이
나랑 있을 때는 끝없이 붙잡고 있었어.

원래라는 건 없었어.
맞아. 다 핑계였어.

당신의 공백엔 내가 없었어.

#빨간 정답

시험공부 할 때나 중요한 일을 표시할 때는
꼭 빨간 펜으로 별표 다섯 개씩 그려 넣고는 했었다.
채점할 때도 밑줄을 그을 때도.

파란색도 있고 검은색도 있었는데
빨간색으로 표시한 이유는 그저 눈에 잘 띄기 때문.

채점하다 보면 동그라미와 엑스가 불규칙하게 쳐졌었는데
동그라미와 엑스 모두 빨강이었다.

빨간 동그라미.
틀린 것처럼 보여도 결국 맞는 것이었던 그런 것.

우리는 빨간 동그라미 위를 걷는 사람들일지 모른다.
정답이지만 틀린 것 같은 그런 기분으로.

그래서 쳇바퀴 돌 듯 연속적인 삶을 살아가는
기분으로 매일매일을 버티고 있을 것이다.

그 띠를 자르고 차라리 엑스를 쳐 버리자.
차라리 이리 갔다 저리 갔다, 그런 인생을 살자.

처음부터 인생에 정답 따위는 존재하지 않으니.

#사랑의 테스트

잘 사귀고 있는 연인들이 상대방의 믿음을 증명받고 싶어서
다른 여자나 남자에게,
넘어가나 안 넘어가나 테스트하는 프로가 있었다.

남자는 새로운 여자에게 끌려 몇 년간 사귄 연인 몰래
다른 여자와 키스를 나누고 손을 잡고 했던 그런 프로.

시청률이 높았지만, 나는 그 프로가 참 싫었다.

사랑을 테스트하다니,
내가 가장 믿어야 할 사람을 믿지 못하고
테스트해서 믿어야 하는 시대라니.

몰래카메라란 걸 밝히고 나서,
오히려 화를 내는 연인의 모습도
체념해 울고 있는 연인의 모습도 모두 싫었다.

사랑은 믿어 주는 거다.
증명하는 것이 아니라.

사랑을 시작할 때
조건 없이, 이유 없이, 무조건 첫 번째가 되어 사랑했듯이
외적인 것도, 내적인 모습도 사랑했듯이,

사랑을 하는 도중에도
마음으로 믿어 주고 아껴주어야 한다.

그게 진짜 모습이든 아니던,
사랑하는 마음으로 안아줘야 한다.

그럴 자신이 없다면 그냥 놓아주자.
차라리 그편이 덜 아프고 덜 힘들 테니.

#놀이터 친구

참 신기한 일이죠,

약속하지 않아도 제 시간만 되면
운동장으로 아이들이 모여 오순도순 놀았다는 게.

그리고 운동장의 작은 가로등이 켜지기 전
모두 흩어져 집으로 갔었던 게.

저녁노을 풍경을 보면서
땅따먹기, 모래빼기 같은 놀이들을 하면서 노는 게
정말 재밌었는데.

집이 가까운 친구들은,
엄마들이 밥 먹으라며 데리러 오기도 하고
학교 뒷문 담 넘어 부르는 엄마의 목소리도 있었죠.

지금은 놀이터도 많이 사라지고,
놀이터에 갈 땐 대부분 부모님과 함께 오는 것 같아요.

미세먼지가 많아진 세상보다,
마음이 더 뿌옇게 변한 것 같아
괜히 마음이 뿌옇게 흐린 날입니다.

#멀어질수록 짙은 그림자

우리의 사이가 멀어질수록 그림자는 짙어졌어.
딱 우리의 마음처럼 말이야.

넌 나의 세상이었고, 삶이었고, 전부였어.

멀어진 그림자로, 그리움에 절여져 길어진 그림자로,
널 잡으려고 해.

넌 어둠 속으로 사라져 버렸는지 보이지 않네.

아니, 내가 어둠 속에 있는 걸까,
그래서 내 멋대로 희미해진 그림자로 널 잡으려는 걸까.

어떤 모양이든 좋아.
당신이 내 옆에 있어 준다면.

#수취인 불명

안녕하세요. 편지로 뵙는 건 처음인 듯합니다.

요즘 날씨가 무척 따뜻해졌네요.
꽃도 피고 바람도 살랑살랑 부는 계절이 왔어요.

삶을 살면서 느끼는 것이 많은 요즘이에요.

저는 보통 과거 속에서 살아왔어요.
미래는 언제 어디서 끝날지 모르니까요.

그렇지만 꿈이 생기고 나서 하루하루 기대가 됩니다.
여전히 잠도 잘 못 자고 걱정은 산더미이지만요.

당신은 무얼 하며 지내시는지요.
어디 아픈 곳은 없는지, 식사는 잘 챙겨 드시는지
궁금해지는 밤입니다.
아픈 마음이 아니면 좋겠습니다.

우리가 만날 일이 없을 수도 있지만,
부디 잘 지냈으면 하는, 작은 바람입니다.

평안한 밤 되시길 바라며.

2장,

뒷걸음질 치다 만난 행복
#여행은 빈 가방으로 가

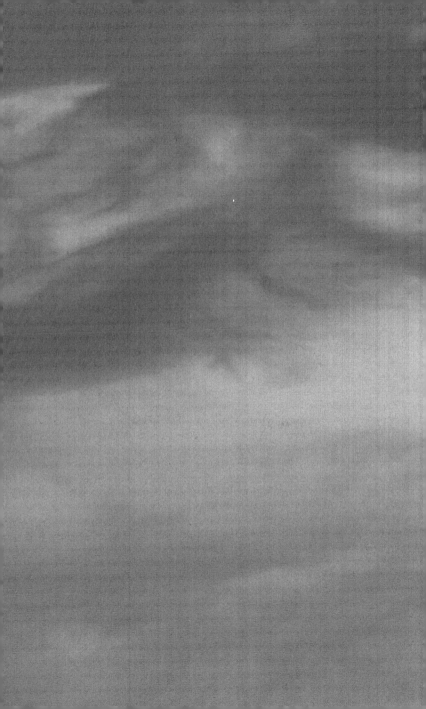

#스밀 수밖에 없는

우산을 쓴다고 모든 비를 막을 수 없듯이,
행복하다고 하여 모든 불행을 막을 수 없다.

그럼에 불구하고,
다시 일어서야 한다.

마음이 견딜 만큼이면 된다.

#같은 방향의 거울

거울이 반대로 비추는 건
반대인 나의 모습도 보라고 일부러 그렇게 만든 것 같다.
어떨 때는 반대여서 불편하기는 하지만.

거울에 비친 나의 모습을 보면,
내면의 다른 나를 보라고 그런 것 같기도 하다.

눈을 뜨면 나의 표정은 보이지 않는다.
거울을 보며 나 자신 모습을 보고
냉정하게 바라보는 일도 필요하다.

#찾아야 할 것들

지나가다 문득 보인 버스 창의 스마일 같은 것,
작은 손으로 만든 눈사람 같은 것,

소나기가 두렵지 않았을 때의 감정 같은 것.
가장하지 않았던 나의 모습 같은 것,

힘들었냐고 물으면 쏟아질 것 같은 감정 말고,
되찾아아 할 것들.

흰 이불이 덮인 겨울이 와도
부분부분 녹으며 봄이 왔다, 겨울이 왔다
하는 곳도 있다.

내 마음이 겨울이라 하여,
봄이 오지 않는 것은 아니다.

#새로운 의미를 새기는 일

중고거래를 자주 한다.
충동구매를 잘 하지 않는 편이기는 하지만
마음이 헛헛하거나 무언가 비어있는 기분이 들면
나도 모르게 쇼핑몰 앱으로 손이 간다.
그러곤 쓰지는 않지만, 예쁜 물건을 사고
택배를 뜯고 만지작대다가 중고 사이트에 물건을 올린다.

이게 뭐 하는 건지 싶겠지만 일종의 스트레스
해소법이랄까.

중고거래가 귀찮기는 하지만,
집에서 거의 칩거하다 싶게 사는 나에게는
바람도 만나고 햇빛도 좀 만나고,
사람을 만나는 기회이기도 하다.

또, 좋은 점은
물건을 판매할 때는 내 추억이나 취향을 파는 것 같고,
물건을 살 때는 상대의 추억을 사서 의미를 부여해
비로소 나의 물건이 된 듯한 기분이 든다.

서로의 삶에, 기억의 조각에 아주 조금이나마
물들이고 가는 것 같아 기분이 좋아진다.

어쩌면 사물도 사람이 의미를 새겨야
예쁘게 물드는 것이 아닐까.

#작은 마음을 가진 사람

우리는 보통 작은 마음을 가진 사람을 좀생이 같다고 해요.

작은 마음을 가졌다는 것은,
작은 그릇을 품었다는 것과 같은 말이기 때문이죠.

왜 그들이 이런 소리를 들어야 하는 것일까요.

작은 그릇을 가진 사람은,
자신이 가진 것을 더 잘 골라 담을 수 있고
더 잘 걸러 내어 자신의 그릇에 담을 수 있는 사람이에요.
전 이런 사람들을 작은 그릇을 품은 좀생이가 아니라
판단력이 더 좋은 사람이라고 생각해요.
수용하는 범위가 더 깊고 세심한 사람이라고요.

멋지지 않은가요.

저도 큰 그릇을 가진 사람 보다,
소중한 것을 아끼고 여길 수 있는 사람이 되고 싶어요.

그러니, 자신이 작은 그릇을 품었다고 해서
기죽는 일은 없었으면 해요.

우린 모두 같은 사람일 뿐,
남을 평가 할 그런 가치란 존재하지 않으니까.

#금방 질리는 것

.

금방 질리는 것이라고 하면,
나의 경우에는 글쓰기 빼고 전부의 일.

그중에서도, 수 많았던 취미들이었죠.

만들기 종류를 좋아해서 온갖 것들을 해봤고
마크라메, 라탄, 캔들, 그림, 뜨개질, 네일아트, 비즈공예
적어도 30가지는 넘을 거예요.

짧으면 1년 길어봤자 3년이었고
취미라고 하면 두 가지를 한 번에 했는데,
작은 타악기 연주라도 악기연주는 꼭 있었어요.
어릴 때 피아노를 배운 탓인지
악보를 보는 데 어려움이 없고
10년을 배웠으니 친근하게 느껴졌기 때문일 것이죠.

그런데 또 나의 취미는 바뀌었어요.

여러 가지로 날 행복하게 하는 것이라면
잘하지 않아도 매일 바뀌어도 상관없어요.

취미는 그저 생각을 잠시 멈춰주는,
부제목 같은 것일 뿐이니.

#이기적인 나

살다가 보면 남을 더 위해주고
자신을 생각하지 못하는 사람들을 많이 보게 됩니다.

그게 나쁘다는 것이 아니에요.
하지만 우리는, 우리의 인생이 최우선이 아닐까요.

좋은 일을 하더라도 적당한 선 안에서 해야 하고
도와주더라도 나의 여유는 남겨두고 도와줘야 해요.
그것이 돈이든 마음이든 사랑이든.

하지만 마음이 편하지 않다면 작은 실천을 하나 해보세요.
오래 걸리지도 않고 어렵지도 않아요.

일과를 마치고 거울을 보며 나를 사랑한다고 말해 봐요.
처음엔 부끄럽지만 금방 익숙해질 거예요.

첫 번째 방법이 지속하기 어렵다면 다른 방법도 있어요.

일단 예쁜 편지지를 사요. 봉투도 예쁜 걸로.
그리고 그 안에 내가 듣고 싶은 말들
혹은 듣고 싶은 말을 써서 하루 끝에 꺼내어 읽어봐요.

내 취향인 작은 우편함이 있으면 더 좋겠죠.
잘 보이는 곳에 두고 하루하루 꺼내어 읽었으면 좋겠어요.

내 마음에도 위로를 주도록 해요.

누구의 위로보다, 나를 가장 잘 아는 내가 주는 위로이니
분명 최고의 위로이자 사랑하는 법일 거예요.

내 마음은 모르는 척하는 이기적인 사람이 아니라
자신도 사랑할 줄 아는 사람이 되어야
남도 더 잘 도울 수 있어요.

#갓 지은 방

내 방은 마치 갓 지어나온 빵 같은 공간이다.
빵으로 따지자면 밤도 건포도도 들어있지 않은 식빵 같은.
따스함을 주는 곳이기도 하지만
공간이 비어있는 걸 좋아하는 편이라 휑 할 정도다.

가진 게 없는 것이 편하다고 생각하는 사람이기 때문이다.

작은 방 하나에 온갖 짐이 다 있어도
누구든지 정말 재미없다고 할 정도니까.

난 이런 내 방이 좋다.
갓 지은 빵 같은 매력이 있는 나의 방.

무엇이 들어와도 넓은 마음으로 받아들일 수 있을 것 같은
마음을 만들어 주는 공간.

가끔은 마음껏 비워보자.
그럼 더 원하는 것으로 가득히 채울 수 있을 테니까.

#일기장의 용도

꾸준히 쭉 해오던 일은 일기를 쓰는 일이다.
일기장은 그저 그런 하루의 일상을 기록하는 것이 아니라
마치 추억을 저장해 두는 것 같다.

잘못을 한 날에는 반성문이 되고
기쁜 날에는 축하 편지가 되기도 한다.
여행을 다녀오고 나서는 여행기도 될 수 있고

미처 하지 못한 말들을 쏟아내는,
나만의 대나무 숲이 될 수도 있다.

한 줄이라도 좋으니, 생각이 날 때만이라도 좋으니,
지나가는 과거를 붙들어 매어 기록해 보는 건 어떨까.

훗날, 꺼내어 보면 그것도 다 추억이니.

#깨진 유리 붙이기

일단 가루부터 털어내요.
그리고 큰 조각들을 모아 녹여 다시 이어 붙여요.
같은 모양이든 다른 모양이든 상관없어요.
그렇게 고치면 돼요.

그리고 우리의 유리 같은 마음도 깨져있다면
뜨겁게 녹이고 붙여서 더 마음에 들도록 바꿔 봅시다.

이제 사람에 그리고 사랑에 다른 어떤 것에 데여도
훨씬 괜찮을 거예요.

유리나 도자기는 높은 온도에서 다른 물질을 섞으면
더욱 단단해진다고 해요.

우리 마음을 고칠 때에도 용기 한 주먹 정도 넣고 고치면
지나간 일쯤은 아무렇지 않게 견딜 수 있어요.

지금,
찌르고 있는 마음의 가루들을 털어내요.
그리고 뜨겁게 무언가를 하세요.

시간이 지나면 저절로 나아질 거예요.

지금 당장 괜찮아지면 좋겠지만
뜨거운 것도 식히는 시간이 필요한 것처럼
잠시 겨울이라 생각하고 식히고 있으면 금방 지나가요.

깨졌다고 다쳤다고 주저앉아 무너지지만 말아요.
나를 버리지만 말아요.

#가사들이 내 이야기 같을 때

아무 생각 없이 노래를 듣다가 눈물이 나본 적 있나요.

노래 속 가사들이 마치 내 이야기 같아
가슴에 비수처럼 콕콕 박혔을 때.

지나간 사랑을 잊을 수 없어 아파하는데
듣고 있는 노래의 가사가 내 이야기와 꼭 맞을 때,
내 마음을 후벼파는 것 같은 기분이 들 때가 있어요.

노래의 감정이 나의 감정에 닿았을 때
드는 생각들은 보통 일시적이라
하루가 지나면 잊혀 질 때가 많아요.

감정이 닿은 날은 그냥 그렇게 느끼세요.

눈물이 나면 좀 울고,
누가 보면 창피하단 생각도 하지 말아요. 괜찮아요.
혼자 있을 땐 누구나 다 그래요.
그러니, 참지 마세요.
다 쏟아내 버리세요. 속 시원하게.

#타인의 시선을 느끼며 살자

살아가며 타인의 시선을 의식하며 살아가는 가는
사람들이 적지 않다.

일상에서 어쩔 수 없이 느껴야 하는 시선들.
비교하는 시간 속에서 위축되고 아파하며 지내고 있다.

그럴 땐 여행을 떠나보자.
나와 연고지가 없는 그런 여행지.

꼭 여행지가 아니어도 좋다.
사람들이 많이 살지 않는 마을이나
내가 모르는 사람들로 가득한 곳,
그냥 아무 곳이나.

그곳에선 평소에 못 해봤던 것들과
못 해봤던 행동들 원 없이 해보자.
한번 보고 말 사이, 다시 오지 않을 동네니까 마음 놓고.

남 시선을 의식하며 살아가는 건 피곤하지만
여행에서 느낄 수 있는 건 후련함이다.

#하나는 없어도 돼

요즘 미니멀리즘이 대세입니다.
전 미니멀리즘은 아니지만 비우는 행위 자체를 좋아해서
항상 무언가를 잘 버립니다.

하지만 꼭 필요한 것들은 있지요.

볼펜만 봐도 그렇잖아요.
스프링 하나만 없어져도 못쓰게 되고
핸드폰도 충전기가 없으면 그냥 돌덩이와 다를 것이 없죠.
작은 부품 또는 작은 물건 하나가 없으면 매우 불편해요.

그래서 사재기를 해두는 사람들이 많죠.
미니멀리즘으로 살고 싶다고 하면서
우리는 물건을 사재기하는 이유가 뭘까요.

바로 '불안함'이예요.

전에 쓰던 제품이 유통되지 않는다든가
이제 단종 될 제품이라, 많은 이유가 있겠죠.

만약 그런 상황이 일어났다고 치면,
비슷한 제품이나 다른 제품을 쓰면 되지요.

우린 모두 인생에 들어왔을 때
맨몸으로 아무것도 없이 몸만 가진 채 태어났어요.
그래서 소유욕이라는 감정이 있는 거고요.

소유욕이 나쁘다는 것은 아닙니다.
그렇지만 소유욕이 자신을 지배하면 안 된다고 생각해요.

조금만 더 참고 생각해 보고 결정해도 늦지 않는
물건이라면 한 번 해봅시다.

한 달만 그 물건 없이 버텨 보는 거예요.
버틸 수 있다면 필요 없는 겁니다.

우리는 불안함과 금전을 지킬 의무가 있어요.

#기대의 부피

가까운 사람일수록 큰 기대감을,
먼 사람일수록 적은 기대감을 느낀다.

문제는 여기에 있다.

기대가 크면 실망과 서운함의 감정도 크다.
내 기대가 박살이 나서 크고 많은 조각으로 변한다.

반면에 기대가 적거나 없다면
크게 와닿는 파편이 적어지고, 회복도 빨라진다.

그래서 우리는 가까울수록
기대하려 하지 않고 주는 법을 배워야 하는 것일지도.

꾸준히 연습하다 보면,
서로에 대한 마음의 부피는 커지고
더욱 돈독한 사이가 될 수 있다.

정말 소중한 사람이라면,
욕심을 버리고, 기대를 천천히 조금씩 내려 놓아보자.

#길을 잃다

이게 맞는 건지 잘 모르겠을 때.
이 방향이 아닌 것 같을 때.

맞춰지지 않는 것을
억지로 맞추고 있었다는 생각이 든다면,

각이 많은 도형에 커다란 동그라미를 맞추는 것처럼.
되지 않을 일을 붙잡고 있는 것 같다면,

아프게 잘라내고 다듬을 필요 없다.

당신은 있는 그대로 이미 완성 되어있다.
잘하고 있다.

#가족 여행

우리 가족은 여행을 참 많이 다닌다.
국내 중에 안 가본 곳이 없을 정도로.

어느 쪽으로 가고 싶은지 말만 하면,
아빠가 계획과 갈 곳을 다 정해 오시고.
그럼 따라가기만 하면 된다.

같은 곳을 가도 매번 다르게 느껴진다.
매번 다른 마음이기 때문일까.

다시 본 영화가 또 다른 재미가 있는 것처럼,
또 다른 매력과 추억을 쌓고 돌아온다.

일상도 마찬가지인 것 같다.
매번 같은 것 같지만 조금씩 다른 것처럼.

쳇바퀴 인생이라고 낙담하지 마시기를 바란다.
그 속에서도 잘 보면 작은 행복들이 자리하고 있으니.

#옷더미

유난히 옷을 못 버리는 사람들이 있다.

옷을 못 버린다기보다는
추억을 쌓아두는 것이라고 할까.

그 옷에 추억도 오래되면, 그저 물 빠진 천 조각일 뿐이다.
의미를 부여하면 버릴 것이 하나도 없다.

자꾸 버리라고 하는 건,
추억을 버리라는 것이 아니라
낡은 과거를 새로운 추억으로 채우라는 것이다.

우린 꼭 필요한 짐을 챙기라고 하면
정말 최소한의 짐만 챙기기 마련이다.
얼마 되지도 않는다.

괜찮다.
최소한의 짐으로 살아가는 것도.
최소한의 과거로 살아가는 것도.
미래로 채워질 공간을 만들어 놓는 방법 중, 하나이니까.

#락스

대학 시절,
화장실 청소를 하겠다고 락스로 청소를 한 적이 있다.
때가 잘 진다길래,

좁은 원룸의 화장실에 뿌려가며 청소했다.
그리고 쓰러졌다.

그때 그 작은 원룸의 화장실에는 창이 없었고,
락스를 희석해서 사용해야 하는지 몰랐었다.

한참을 기절했다가 깨어나 보니
화장실은 청소는 깨끗하게 되었지만
몇 시간 동안 몸이 고생했다.

마음의 상처도 그렇게 지워내야 했나 보다.
조금씩 희석해 가며.

한 번에 지우려니 머릿속이 터질 것 같고
마음이 남아나질 않았던 건
어쩌면 당연한 일이었다.

아픔은 겪어도 겪어도 희석되지 않는데,
지울 때는, 왜 먹구름처럼 희미하게 지워지는지
왜 천천히 지워지는지
마음은 어쩜 매번 이렇게 똑같이 아픈지.

차라리 한번 기절하고 낫는다면 좋을 텐데.

#유서를 쓰세요

미래지향적인 사람이어도 좋다.
현실주의자라면 더 좋다.

냉정하게 말하면,
우린 언제 어디서 갑자기 죽을지 모른다.

내가 현실을 가장 소중하게 생각하는
이유 중 하나다.

그래서 오늘은 유서를 써보려고 한다.

전에도 몇 번 써 봤지만, 과거의 내가 쓴 유서이기 때문에
오늘 새로운 내가 써보려고 한다.

이 유서는 돈과 권력과는 관계가 없어야 한다.
나의 삶을 되돌아보고 내 삶을 정리하는 것이기 때문에.

정말 죽을 마음으로 써도 좋다.
대신 기쁜 마음으로만 쓰지 않으면 된다.
기쁘면 판단력이 흐려지니까.

시간을 굳이 내서 한 번 써보자.
그동안 나의 삶에 대해 되돌아볼 시간이 될 것이다.

#복사하기 붙여넣기

세상에 넘쳐나는 것 중 하나.
불법 퍼가기와 무단복제 그리고 저작권 위반이 있죠.
매체들이 많이 발전할수록 더욱 심해지기 마련입니다.
그래서 요즘은 아무 죄책감도 없이 자기 것인 양 쓰기도
하죠.

많은 글이 떠도는 것을 보았고
저도 많이 당해봤으니까요.
심지에 허접한 그림마저도 빼앗긴 적이 있어요.

아무리 엉망인 그림이나 글이라도,
자신의 가치관과 매력을 품고 있는 글인데
그런 상황을 볼 때마다 너무 속상합니다.
제 글이 아니어도요.

생각해 보면 모두 자신만의 색이 있는데,
왜 남의 것에 손을 대고
자신은 노력을 안 하고 성취하려 할까요.

그건 명백한 범죄행위이고
자신의 찬란한 색을 지우고 덧칠하고,
가면을 쓰는 일입니다.

그러니 우리, 자신의 빛나는 색을 잃지 말도록 해요.

#절벽 위의 조난

눈 덮인 산을 오르는 사람들은 길을 잘 잃는다고 한다.
아마 발자국이 금방 사라지기 때문이겠지요.

그럴 땐,
완만한 절벽 쪽으로 가서 썰매 타듯 내려온다고 한다.
길이 아닌 것을 인지하고 빠르게 내려올 수 있는
좋은 방법이기 때문이다.

더 높은 곳을 향하기 위한 하강이기도 하다.
힘들게 올라갔는데 내려오는 게 아깝고 기운이 빠지겠지만
어쩌겠나. 그곳은 길이 아닌걸.

대신 그만큼 빠르게 알아챘고 다른 길을 선택할 수 있는,
새로운 기회가 생겼다는 것.

늦게 알아차렸다고 해서 나쁠 건 없다.
더 좋은 풍경과 남들은 볼 수 없는 일을 겪은 셈이니까.

이제 내려가는 걸 조금은 마음 편히 할 수 있을 것 같다.

겁먹지 말고 과감해져 보자.
그렇다고 아주 큰 일은 일어나지 않으니.

아니, 어쩌면 더 아름다운 풍경이 기다릴지도.

#반만 나온 사진

가끔 그런 생각을 한다.

내 사진 중에 반만 나온 사진이나 뒷모습만 나온 사진이나
구석에 조금 나온 사진들은 대부분 남이 찍어준 사진이다.
초점이 나가거나 완벽하지 않은 사진도 대부분 그렇고.

왜 그럴까,
생각해 보니 그런 사진들이어도
나를 사랑하는 마음들을 놓치지 않기 위해
그 작은 셔터로 꾹꾹 눌러 담았을 게 분명하다.

요즘은 버튼 하나만 누르면 사진이 연달아 찍히기도 하고
자동으로 보정 해서 내가 아니게 보일 만큼 잘 되어있지만
옛날 감성의 필름 카메라가 다시 유행하는 이유는
그 하나하나의 셔터가 소중하기 때문이 아닐까.

물론 예전과는 달라서 카메라의 값도 무시하지 못하지만,
그걸 감수해서라도 과거의 추억 속 깊이
다시 찾아가고픈 마음이 커져 그런 것 같다.

세상이 얼마나 각박한가.
아침뉴스만 봐도, SNS에 뜨는 알고리즘만 보아도 알 거다.

가끔은 현대 기기들과 멀어져서
아날로그적 삶을 체험하는 것도 좋은 방법이라 생각한다.

그러니 어렵겠지만 핸드폰을 내려두고 밖으로 나가보자.
잠시 단절된 아름다움을 느끼자.

#200리터짜리 종량제 봉투

큰 종량제 봉투가 있으면 좋겠어요.

내 마음 다치게 한 그 사람들 하나하나 넣어서
마음 밖으로 던져버리게요.

분리수거도 안 될 거 아니에요,
플라스틱도 아니고 종이도 아니니까.

내 마음 대청소 한번하고
새 사람 들일래요.

마음 아픈 그런 일 덜 만들래요.
상처받은 마음 같이 잘라 넣어 줄래요.

#계획대로 되고 있어

내 계획이 뒤틀린 날,
아무것도 되지 않는 날.

그런 날에는 그냥,
오히려 계획대로 되고 있다고 생각한다.

비틀어진 계획과 일들은
원래 그렇게 될 일이었고 그럴 수밖에 없는 일이었다고.
이미 일어난 일은 되돌릴 수 없으니.

마음을 비우고 가끔은 단순하게 사는 게
가장 현명하고 좋은 방법.

#기대는 연습

홀로 여행을 떠났다고 가정을 해보자.
길을 잃었는데 핸드폰도 꺼졌다.

어느 길로 가야 하는지,
여긴 어디인지 혼란한 상태.

그럴 땐 지나가는 사람이라도 붙잡고 물어봐야 한다.
모르는 게 부끄러운 것이 아니다.
아는 척하다가 더 깊은 골로 빠지는 것보다는 낫다.

우리는 세상에서 기대는 연습도 배워야 한다.
홀로 짐을 모두 짊어지고 가다가는
금방 무너지는 게 사람이니까.

#더 높은 곳이 있더라

꿈을 향해 행복을 향해
목표를 잡아 본 적이 있을 것이다.

그 목표를 위해 열심히 노력해서 달성했는데
또 다른 목표가 앞에 놓이고 또 놓이고.

실패하지 않아도 중간에 쉬지 않아도
그건 또 생겨나고 생겨난다.

그러니 가방을 가볍게 메고
딱 필요한 것들만 챙겨서 가볍게 오르자.

그다음 높은 곳을 위해.

#걱정을 버리는 법

우리는 수많은 걱정을 안고 살아간다.
걱정이 걱정을 낳고 걱정이 걱정을 만든다.

'걱정을 해서 걱정이 없으면 걱정이 없겠네' 라는
말이 있을 만큼.

걱정을 줄이는 방법은 아래와 같다.

일단 종이와 펜을 가져와서
종이에 걱정되는 일을 적어보자.
대부분 걱정되는 일이 많을 것이다.

다 썼으면 그 안에서 해결할 수 있는 일 없는 일을 나누어
할 수 없는 일들은 쓰레기통에 찢어 버리자.

효과가 없을 것 같아도
정말 걱정이 덜어지는 기분이 들 것이다.

이제 해결할 수 있는 일을 해결하자.
그러면 성취감이 생기고 자신감도 올라갈 거다.

가끔 걱정 분류로 정리를 해주자.
생각도 쉬어갈 틈이 있어야 더 잘 들어오는 법.

#창고 같은 삶

수명이 다했지만 버리지 못하고 있는 물건이 있나요?
추억이라며 굴러다니는 물건은요?

정말 소중한 것이라면,
바닥에 굴리지 말고 수명이 다했다면 놓아줍시다.

그래야 새로운 추억이 들어올 틈이 생겨요.

오늘, 아니 지금 당장
책을 덮어두고 방을 청소해 보세요.

쓸데없는 걱정과 기억들이 생각보다 많아요.
그렇게 마음을 비우고 생각을 비웁시다.

#비울 수 있는 용기

자신의 물건이나 마음을 비울 수 있는
용기가 가장 대단하다고 생각한다.

물건을 비운다는 건,
내 추억과 기억을 분류하고
아픈 기억은 버릴 용기가 생겼다는 것이고,

마음을 비운다는 건,
기대하는 마음, 실패할까 두려운 마음, 망설이는 마음을
버릴 수 있는 용기가 많이 필요한 일이다.

당신, 잘하고 있다. 아주 칭찬한다.
선물 같은 그 용기가 부러울 정도로.

#여행은 사치

여행이 사치라고 생각하는 순간,
낭만을 잃는다고 생각합니다.

낯설지만 정겨운 사람들,
익숙하지 않은 동네의 새로움,
바람의 황홀함까지.
등지는 일이니까요.

여행을 사치라고 생각하지 말아요.
돈이 문제라면 이렇게 생각해 보세요.

동네를 한 바퀴 도는 것도 여행이 될 수 있고
안 가본 길을 걸으며 사소한 것을 보는 것도 여행이에요.

꽃을 사는 게 사치라고 느껴지면 낭만을 잃는 것처럼
여행이 사치라고 느끼면 또 하나의 낭만을 잃는 거예요.

여유도 필요하잖아요, 우리

일단 나가 봐요. 여행자의 마음으로.
항상 새로운 세상은 펼쳐져 있으니.

#폭우

여행을 갔는데 갑자기 폭우가 내려요.
소나기일까, 하고 나무 밑에 숨어봐요.

하지만 그칠 기미가 보이지 않네요.

우산을 살까? 고민했지만,
그냥 맞기로 했어요.

그동안의 고단함이 씻겨 내려가는 것 같아요.
우산을 샀으면 못 만났을 이 감촉과 온도.

그렇게 사소한 한 겹 차이로 맞닿을 수 없었을 그런.

#과거로 돌아가는 버튼

과거로 돌아갈 수 있다면 언제로 돌아가고 싶냐고 물었다.
친구는 어릴 때, 아무 걱정이 없을 때라고 했다.

친구가 되물었다.
너는 언제로 가고 싶냐고.

나는 안 가고 싶다고 했다.
같은 선택을 할 거고
다시 같은 아픔으로 힘들 거고
같은 이유로 후회할 거라고.
그냥 지금처럼 하고 싶은 거 하면서 살고 싶다고 했다.

내 인생에서 그 수 없는 선택들은 최선이었고
후회도 할 만큼 했고 아파할 만큼 아파봤으니.

당신은 과거로 돌아갈 수 있는 버튼이 있다면
누르시겠습니까?

#내가 좋아하는 것

누군가 뭘 싫어하냐고 묻는다면,
금방 여러 대답을 쏟아낸다.

하지만 뭘 좋아하냐고 묻는다면,
고민하거나 망설이게 된다.

왜 그럴까,
바로 우리는 싫어하는 것에 많이 둘러싸여 있어
좋아하는 것을 파헤치기가 힘든 것이다.

꼭 좋아하는 게 없더라도 괜찮다.
싫어하는 것만 가득 쏟아내어도 괜찮다.

싫어하는 것만 아는 것도,
이 바쁜 세상에서 찾아낸 기특한 일이니.

#나그네와 여행자

나그네는 정처 없이 떠돌지만
여행자는 거처를 정해두고 떠난다.

둘의 다른 점은 그것뿐.

여행자는 어느 순간 나그네가 될 수 있고,
나그네는 어느 순간 여행자가 될 수 있다.

여행자가 될 것 인가, 나그네가 될 것인가.
이 문제는 당신, 자신만이 정해야 한다.

우리는 살면서 하기 싫은 일을 할 때가 종종 생긴다.

그럴 때, 일을 즐기며 할지 미워하며 할지는
내 선택에 달려있다.

#정답은 없습니다

정답이 있는 것보다 없는 일이 훨씬 많다.

정답이 있는 것은,
수학 문제, 과학 문제 또는 오선 답안 시험 같은 것.

정답이 없는 것은,
그 외, 모든 일들.

생각해 보면 정답이 없는 것이 천지인데
굳이 정답을 찾으며 살아가는 삶이 의미가 있을까 싶다.

정답을 찾을 시간에
서로 다름을 인정하고 이해해 주고 배려해 주는 게
훨씬 더 유동적인 삶이 아닐까.

#존재 자체로

힘내라는 말만 하는 것보단,

곁에 있어 주는 것.
손잡아 주는 것.
안아주는 것.
들어주는 것.
휴지를 건네어 주는 것.
온기를 나누어 주는 것.

이런 사소한 행동이, 더 위로 될 때가 있다.
사소함이 마음을 채워 줄 때가 있다.

당신은 존재 자체만으로 위로이기 때문에.

#있잖아, 만약에 말이야

저는 도라에몽이라고 불릴 만큼,
많은 짐을 가지고 다녔었어요.
'만약에'를 대비해서 갖은 물건들을 가지고 다녔죠.

하지만 '만약에'라는 건,
생각보다 잘 일어나지 않아요.
그리고 그다지 큰일도 아니죠.

누군가
'있잖아, 만약에 말이야 내가 ~한다면 어떨 것 같아?'
라고 한다면, 그냥 대충 대답해 줘요.

어차피 만약은 잘 일어나지 않고
그 '만약에'로 인해 무거워진
내 어깨만 남아있을 뿐이거든요.

그래서 '만약에' 들을 버렸어요.
이제는 보부상처럼 싸매고 다니지도 않고
괜한 걱정도 하지 않아요.

짐을 내려놓으니까 보이는 것이,
갈 수 있는 곳이 더 많더라고요.

이제는 이별해 보세요.
그 지긋지긋한 '만약에' 하고.

#시소의 무게

시소는 한쪽이 무거우면 그쪽으로만 기울게 되어있어요.

주는 사람의 마음으로 채워진 한쪽의 의자는
항상 무겁게 짓눌러 앉아있고,
받는 사람의 쪽은 항상 떠 있죠.

우리는 시소의 평행을 맞추기 위해서 노력해요.
내가 더 주고 떠 있는 쪽을 무겁게 만들려고 하죠.

사실 그 시소는 고정되어 있습니다.
상대가 받는 것에만 익숙해져 고정 되어있는 것처럼.

괜히 나만 힘이 빠지고 서운해지죠.

그런데 상대가 받은 것을 과연 버린 걸까요?

아닙니다.
상대는 고마움을 잘 표현하지 못하는 것뿐이고,
자신의 기준에서는 최선을 다하고 있을 겁니다.

나의 기대치는 맨 끝자리인데
상대의 기대치는 맨 앞자리라서
균형이 안 맞는 것일지도 몰라요.

그럴 땐 상대방의 자리 앉아 보세요.
상대방의 입장은 어쩔 수 없는 일이었을지 몰라요.

받은 만큼 주지 못함에 미안함이 가득 묻은
맞은편 시소 앞자리는 따스함으로 덮여있어요.

#작은 것들은 빠르다

세상의 모든 작은 것들은 참 빠르다.
빠르기 위해 부지런하고 바쁘다.
여기서 작은 것이라는 건,
개미 같은 생물이나 작은 사람을 말하는 게 아니다.
가까이서 본 우리의 삶을 말하는 것이다.

우리의 인생은 조금만 멀리서 보면, 참 작은 것들이 된다.
퇴근길 자동차 불빛, 야근을 하는 사람들의 창밖 불빛처럼.
가까이서 보면 빠르고 바쁘게 움직이고 있다.
높고 멀리서 내다보면 느리고 예쁘게만 보인다.

하지만 들여다보면 저마다 각자의 사연과
각자의 일들로 그리고 마음들로 북적거리는데.
그 사람들은 마치 개미의 줄지음 같은
그 모습을 볼 수 없다.

나만이 오롯이 느낄 수 있다.
가끔은 우리 높은 곳에 올라서서 멀리 내다보자.
마음에도 환기가 필요하니까.

#질주하는 마음

나를 주체하지 못할 정도로 힘이 들 때가 있다.
의지와는 상관없이 해야 할 일들이 넘쳐날 때 특히 그렇다.

빠르게 달려야만 다 해결할 수 있을 것 같을 때.

지나고 보면 그렇게 애쓰지 않아도 다 해결된다.
천천히 숨을 내뱉고 들이쉬며 그렇게 산책하듯 해내도
된다.

자신만 모르는 능력이 분명 존재할 거다.

못 하면 또 어떤가, 다시 도전하면 되는걸.
쉬엄쉬엄 숨도 쉬어가며 앞으로 나아가자.

#썩어가는 버팀목

삶의 중심이 되는 버팀목이 썩어가면 어떻게 해야 할까.

일단 슬플 것 같다. 힘드니까 울고
그리고 어쩔 수 없이 그 버팀목을 뽑아내 교체해야 한다.

아주 오래 함께 한 나무이던, 추억이 가득한 나무이건
안 그러면 더 썩어가니 어쩔 수 없다.

무작정 뽑으려 하지 말고
주변에 요소들을 채우고 받치고 준비한다.
그리고 빠르게 교체해야 한다. 무너지지 않게.

그렇게 나를 이루는 큰 요소를 바꾸기 위해서는
조급하지 않게 천천히,
아주 조금씩 해야 한다는 걸 잃지 말았으면 한다.

마음이 급해서 빠르게만 해결하려고 하면
무너지기 일쑤이니까.

#한쪽만 썩은 양파

가끔, 냉장고가 비실비실 할 때다 싶으면 요릴 했었어요.
냉장고 파먹기 수준이지만 있는 재료로 만들어 먹었지요.

자취할 때는 집에서 재료들을 가지고 왔었는데
양파 같은 재료들은 모두 손질해서 냉장고에 넣어 두었죠.
양파를 쓸 일이 있어 꺼내 들었는데
멀쩡해 보이기만 했던 양파 한쪽이 썩어있었어요.
양파끼리 맞닿은 부분만이요.

그리고 사과도 마찬가지였어요.
맞닿은 부분만 썩어서 멀쩡한 부분만 잘라 먹었죠.

양파랑 사과도 너무 가깝게 두면 썩어버리는데
사람과 사람 사이의 관계도 너무 가까우면 썩을 수 있어요.

적당한 거리를 찾아 떨어져 있어야
좋은 관계가 유지되는 것이죠.

너무 깊게 알려고 하면 관계는 썩기 쉬우니까요.

그렇다고 사이를 비우라는 게 아니에요.

배려라는 마음으로 사람 간의 사이를 채우면
누구도 다치지 않는 관계가 될 거예요.

#중간 저장

중요한 서류를 만들거나 컴퓨터로 작업을 할 때
우리는 중간 저장을 한다.
파일이 날아가면 안 되니까, 중요하니까.

삶도 그런 것 같다.
중간에 쉬기도 하고, 관계를 끊어내는 시간도 가지고
잠시 주저앉아 울기도 하고.

그런 것들이 다 중간 저장과 같은 존재들이라고 생각한다.

그래야 조금 숨통이 트이고
그래야 또 살아갈 힘을 얻는다.

쉬지도 않고 달리는 삶을 살면, 초기화될 수 있으니.
다시 빈 종이로 시작해야 할 수도 있으니.

세상은 냉정해서 결과만 기억하기 때문에
얼마나 열심히 달려왔는지는 나만 아는 사실이다.
오히려 그동안의 노력이 물거품이 될 수 있다.

그러니 쉬엄쉬엄하자.
우린 생각보다 세상의 틀에선 나약한 존재들이니까.

#빠질 수 없는 우울

하루하루 버티느라 고생이 많죠?
진부한 말이지만 우린 지금이 가장 젊어요.

지금 누워 있다고 해서 세상이 무너지는 것도 아니고
핸드폰만 보는 하루라고 해서 무의미한 시간이 아니에요.

그렇지만 그러면 우울하다고요?
우울하면 어때요.
우울함도 그냥 내 감정 중 하나일 뿐인걸요.
인정하고 받아들이면 조금 편할 거예요.

즐겁기만 한 시간만 있다면
즐거움이라는 감정을 느낄 수가 있을까요.

아니요. 그럴 수는 없을 거예요.
행복하지 않은 감정이 있어야만 즐거움도 느낄 수 있어요.

우리는 감정을 미루지 말고,
온몸으로 느끼고 받아들이는 법도 알아야 해요.
누구든지 다 같은 감정을 느끼며 살 수는 없으니까요.

#인형과의 이별

그때, 내 나이 두 살이었을 것이다.
진해 군항제에서 데려온 곰 인형 하나.

데리고 온 날,
그 인형을 꺼내어 주던 아저씨의 손까지 생생하다.

나의 애착 인형 아니 이젠, 애착 인형이었던
이름은 이곰곰.

30년이 넘는 시간 동안 어딜 가든 데리고 다니고
심지어 고등학교 기숙사도 들고 가서 끌어안고 자고
힘들거나 기쁠 땐 하소연도 하고 웃기도 했다.

내가 서른두 살이 된 2023년 11월 14일,
곰곰이와 마지막 사진을 찍고 그만 놓아주었다.
마음속에 영원히 간직할 것을 약속하며 인사를 했다.
비어버린 침대 끝자락을 보며 허전함을 자꾸만 누른다.

곰곰아 잘 가,
그동안 나랑 함께 해줘서 고맙고 사랑해.
영원히, 죽을 때까지 잊지 않을게, 안녕.

인형과의 이별도 이렇게 힘이 들었는데
하물며 사람과의 이별이 힘들지 않을 수가 없다.
마음껏 아파하고 마음껏 울고 마음껏 후회하자.

그래야 후련해짐과 동시에,
다음에 더 좋은 사람을 만날 수 있을 것이니.

#불멍의 마지막

캠핑을 떠났다.

한참 웃고 떠들며 타오르고 있는 불꽃으로
일명, 불멍이라는 걸 처음으로 해보았다.
멍하게 바라보던 불빛은 점점 희미해져 가고
눈꺼풀이 점점 무거워졌지만 우리는 그렇게 밤을 지새웠다.
소소하고 담담한 우리의 이야기를 쌓아 올리며 그렇게,

불씨를 다시 살리고 우리의 멍했던 기분도
다시 살려서 신나게 놀았다.

새벽이 밝아오자 그만 들어가자며 동시에 말을 뱉었다.

아직 밤하늘이 남아있는 새벽이었기에 아쉬운 마음으로
새벽공기를 마시러 나왔다가 불씨를 보았고
꺼져버린 잿더미가 바람에 이리저리 흔들리고 있었다.

그렇게 흩어지는 잿가루들을 보는데 갑자기 눈물이 났다.
땔감의 단단함을 바람으로 날려 보낸 것 같아 미안했다.

별게 다 미안하다 싶어서 가볍게 웃고 방으로 들어갔다.
왜 이리 오래 있다 오냐는 친구의 핀잔에도
그저 웃으며, 오늘 즐거운 시간이었다고 웃음을 지었다.

우리, 다시 이 흩날리는 잿가루들을 보러 또 오자.

끝이라는 게 너무 허무한 것 같다가도
이렇게 아름다울 수 있다는 사실을 오늘도 깨닫는다.

#종착지가 없는 버스

아무 날도 아닌 날,
가까운 버스 정류장에서 아무 버스나 타는 거야.

일부러 탄 적 없는 번호를 골라서.
시간은 해지기 전이 좋겠다.

나오는 방송은 이어폰을 끼고 무시해
그래야 내가 원하는 곳에서 내릴 수 있거든.

이제 창밖을 보면서 천천히 풍경을 눈에 담다가
마음에 드는 곳에서 내려.
모르는 골목으로 무작정 걷는 거야.

이어폰도 빼고 하늘을 보며 걸어
노을이 지는 방향으로.
지평선 끝으로 들어가는 거야.

거기서 다시 버스를 골라잡아 타고 집으로 와.
오늘 여행 재밌었다 그치?

3장,

너보다 나를 더 사랑해
#피기 전까지는 모르는 꽃처럼

#셀 수 없는 감정

사람들은 무엇이든 수치화하는 것을 좋아하는 것 같다.
아픔의 정도, 느낌 그리고 감정까지도.

아프면 아픈 거고 감정이 이상하면 이상한 건데
그걸 굳이 수치화하고 정의를 내린다.

어쩔 땐 필요하기도 하고 수치로 보면 편하기야 하겠지만,
정확하지는 않은 결과인 셈이다.

예를 들어 말하자면,
'시큰시큰 아파요' 라든지 '콕콕 쑤셔요' 라든지
'말랑말랑한 기분이네요' 또는 '날이 으스스하네요' 같은
이상하리만큼 수치화될 수 없는 것들이 더 많은데도

'0에서 10까지 얼마나 아프세요?' 라던가
'낮에는 몇 도라서 날이 따뜻하네요.' 같은 말들로
그건 어떤 느낌이고 무슨 감정인지 정의를 원한다.

마음은 셀 수도 없고 정의할 수도 없는데 말 이다.

인간이라면 셀 수 없고, 오묘하고,
어느 정도 어두운지 밝은지
언제 어떤 감정이 들지 모르는 사람이다.

우리는 모두 사람이기에 수치화할 수 없다.

#명대사의 공허함

흔히 명대사라고 불리는 것들,
영화나 드라마 속의 멋진 대화들과 언어들.

그것들은 지나고 나면 부질없는 것이 되는 것 같아요.
물론 누군가는 자신의 신념으로 받아들일 수 있어요.

하지만,
그것이 내 것이 아니라는 걸 알 때 공허함은 어떨까요?

그래서 우리는 스치듯 지나가는 위로나
지속되는 따스함, 지긋이 눈 맞추어 주는 것
말없이 안아줄 수 있는 것이 더 마음에 와닿을 때가 있죠.

멋지지 않아도, 누구에게 존경의 대상이 되지 않아도 돼요.
그냥 손 한번 잡아줄 수 있는 사람이면 돼요.

당신의 마음은 이미 멋진 명대사이니.

#변하는 사람

드라마나 영화를 보면 변했다는 말을 자주 듣게 돼요.
물론 우리의 일상에서도 연인 사이의 관계에서도 말이죠.

저는 변하는 것이 나쁜 것이라는
인상이 박혀있어 그런 줄만 알았어요.
많은 사람이 그럴 거예요.
보통 나쁘게 변하는 것이니 그렇겠죠.

그런데 정말 나쁘게 변한 걸까요?
나의 기준으로 그렇게 받아들이는 것이 아니고요?
정말 나쁘게 변한 것 일 줄도 모르지만요.

어느 날, '세상에 안 변하는 사람이 있을까?' 생각이
들었어요.

우리 주변의 건물들도 날씨도 시도 때도 없이 변하는데
사람의 마음이라고 변하지 않는 게 이상한 것 같더라고요.

대신 잘 변하면 되죠, 어떻게 변하느냐가 중요하죠.

변하는 것에 겁먹지 말고, 내 기준에서 생각하지 말고
잘 변해가고 있는 나와 그 사람을 칭찬해 줍시다.
변해주어서 고맙다고.

#내 인생의 조연

내 인생에서 나는 조연일 뿐이라고 느껴질 때가 있어요.
누구나 그런 시기가 있다고 생각해요.

나보다 더 중요한 것이 생겼을 때가 특히 그렇게 느껴지죠.

그건 잘못된 것이 아니에요.

살다 보면 누굴 위해 살아가는지 잘 모를 때가 많아요.
어쩔 땐 부모님을 위해 살아야 하고
어쩔 땐 일만을 위해 사는 것 같을 때도 오니까요.

그건 아무 상관 없어요.
결국 내 인생은 내가 주연이고 주인공이기 때문에.

가끔 다른 역을 맡았다고 생각하고 살아봐요.
한가지 역할만 하면 재미없잖아요.

일에 미쳐있는 사람이었다가
사랑에 미쳐있는 사람이었다가
내 주변 관계에 미쳐있는 사람이었다가 그래봐요.
뭐든 미쳐있다면,
조연이든 주연이든 생각도 안 날 걸요?
우리 흐르는 대로도 살아보고 그래야죠.

한번 사는 인생인데.
하고 싶은 말, 해보고 싶었던 일들 늦기 전에 해봐요.

#잃어버린 퍼즐 조각

퍼즐을 맞춰 볼 땐,
몇 번 맞추다 보면 몇 조각씩 잃어버린다.
그러면 퍼즐로서의 명분을 다한 거다.

하지만 인생의 퍼즐은 다르다.

잃어버렸다고 생각하고 있는 조각들은 사실 맞춰지고 있다.
하나씩 하나씩 찾아서 맞추어지고 있다.

그 퍼즐 조각은 어느 여행지에서 찾을 수도 있고
다른 퍼즐 조각은 일상에서 찾을 수도 있고
길을 걷다 우연히 혹은 사람한테서 찾을 수도 있다.

그렇게 퍼즐은 죽을 때 완성된다.

지금은 허술하기 짝이 없어
어디가 어디인지도 모르고 모으고만 있지만,
작은 퍼즐 조각들이 모여 내 삶을 완성하고 있을 것이다.

그러니 조급해 하지 말고
천천히 나의 조각들을 찾아보자.

나도 모르는 사이, 분명 멋진 그림이 완성되어 있을 테니.

#초록색 정지 표지판

초록색 정지 표지판이 있으면 어떨까요?
파란색 여자 화장실, 빨간색 남자 화장실 안내판은요?
빨간 좌회전 신호등은요?

누가 정했는지는 모르지만,
보통 빨간색은 멈춤, 금지, 중요 같은 것을 의미하죠.
반대로 초록색은 안전, 평화로움을 의미하고요.

우리의 눈도 그렇게 변한 것 같아요.

색안경을 끼고 바라보는 세상은
꼬질꼬질하면 볼품없다고 가난하다고 생각하고,
멀끔하게 차려입으면 부유하다는 생각이 들죠.
비슷한 경우도 무척 많을 것이고요.

하지만 꼬질꼬질한 모습의 사람은
방금 인생의 중요한 일을 해내고 온 사람일 수도 있고,
멀끔한 사람은 방금 면접에서 떨어진
취업준비생일 수도 있지 않을까요.

그렇게 저도 색안경을 낀 적이 있었어요.
그래서 남을 깔보고 남을 무시한 적도 있었고요.

이제는 그렇지 않아요.
색안경을 벗어 던지고
상대를 지긋이 지켜보는 능력을 더 길렀어요.

그랬더니 세상이 달라 보이기 시작했어요.
아주 반대로 돌아가고 있다는 생각도 들었고요.

당신도 지금 색안경을 끼고 상대를 상처 주고 있진 않은지
잘 생각해 볼 필요가 있어요.

용기 내어 남들과 다른 시선으로 바라보면
세상이 달라 보이고,
다른 삶을 꿈꿀 만한 시야가 넓어집니다.

#벅찬 순간

"인생은 숨을 쉰 횟수가 아니라
숨 막힐 정도로 벅찬 순간을 얼마나 가졌는지로 평가된다."

미국의 한 시인 마야 안젤루의 말이다.

이 말을 처음 들었을 때 공감이 많이 갔던 말이에요.
우린 인생을 살면서 벅찬 순간을 얼마나 느끼며 살아갈까?

그 벅참이란 건,
말도 안 되는 경치를 봤을 때 눈물이 날 것 같은 느낌일까,
사랑하는 사람과의 마음이 서로 통했을 때의 벅참일까,
그것도 아니라면 일상의 소중함이 모인 벅참일까.

물음표가 가득한 인생에 또 다른 물음표를 건네는 말이죠.
인생에 대해 다시 한번 생각해 보게 되기도 하고요.

하루하루 벅찬 감정으로 살아가면 무슨 느낌일까요?
당신은 얼마나 벅찬 마음으로 살고 있나요.

#어떤 청춘

사람들은 말한다.
100세 시대이니 70세 80세도 청춘이라고,
20대 30대까지는 아침에 불과하다고.
맞는 말이다.

그렇지만 누군가는 아침에도 별로 돌아갈 수 있는 게 인생.
또 누군가의 청춘은 새벽도 맞이하지 못하고 끝이 난다.

그러니,
오늘이 마지막인 것처럼 내일의 일을 미루지 않는 게
나는 청춘이라 생각한다.

우리의 매일매일은 찬란한 새벽이고, 아침이고,
노을이고, 밤하늘의 달일 수도 있으니.

처음이자 마지막인 지금, 이 순간은 매번 청춘이다.

#실수

사람이라면 누구나 실수합니다.

반복되는 실수는 습관처럼 굳어지기도 하는데
그건 이제 그 실수의 횟수만큼
내가 신경 쓰는 일이 많아졌다는 것을 의미하기도 합니다.

꼼꼼했던 사람이 덜렁대는 성격이 되기도 하고,
매사에 집중하지 못했던 사람이 집중력이 높아지기도 해요.

그렇게 사람은 쉴 새 없이 변하고
누군가는 '나는 변하지 않는 사람이야' 라고 말해도
자신도 모르는 사이 변할 수밖에 없어요.

어쩌겠어요,
매일 비슷한 하루 안에 사는 우리인걸.

그러니 너무 자책하지 말고
마음 편히 받아들이세요.

#무너져 내릴 댐

금이 간 댐을 보고 있어요.
마치 내 미래 같다고 생각했죠.

고칠 생각은 안 하고, 금이 가 있는 한 곳에서
쉴 새 없이 쏟아지는 물만 하염없이 보고 있었어요.
고칠 생각도 안 하고, 점점 거세지는 물줄기만요.

그렇게 점점 불안했어요.
그 댐이 금방이라도 무너질 것만 같았거든요.

금을 막아 보수를 하면 되는데
시간이 지나 간단하게 고칠 수 있는 선을 넘어섰어요.

결국 이 댐의 금처럼,
불안함을 만드는 건 나인 것 같습니다.

지금이라도 늦지 않았어요.
쳐다만 보지 말고 생각만 하지 말고
행동으로 실천으로 옮기면 이 불안감도 잠재울 수 있어요.
그러니 이제 자리를 털고 일어나 행동으로 옮겨봅시다.

#사랑하는 나의 가시밭길

제 길은 가시밭길이에요.

자갈이 널려있고 죽은 국화들이 가득하고
가시나무가 잘게 잘려 바닥에 깔려있죠.

처음 갈림길을 만났을 땐 아주 많이 고민했어요.

한쪽은 알록달록하고 예쁜 꽃들이 피어있는 안정적인 길,
한쪽은 틈 없이 깔린 두려움과 불안정한 길이었으니까요.

저는 선택권이 없었어요.
그래서 가시밭길로 들어갔죠.

처음엔 너무너무 아팠고 피도 많이 나고 쓰러지기도 했죠.

그러다 어느 날이었는지는 기억이 안 나지만 결심했어요.

난 어차피 이 가시밭길을 빠져나갈 수 없고,
견뎌야 하는 길이니, 인정하고 사랑하자. 내 길로 만들자.

아무리 어려운 길이어도 끝은 있더라고요.
그 과정이 고될 뿐.

그래도 이제 조금씩 무뎌진 나를 보면 뿌듯해요.

잘 닦인 길이든 흙길이든, 길마다 장단점이 있어요.
자신이 선택한 길이니까 후회하지 않았으면 좋겠어요.

다시 돌아가는 길과 다른 길로 가고 싶어도,
내가 택한 길을 가다 보면 무엇이 나올지 궁금하니까요.

#가정환경

제가 세상에서 가장 미워하는 사람이었죠.
그는 가정환경이 아주아주 안 좋았어요.

그에 반해,
저희 집은 아주 드물 정도로 화목한 집안이었고요.
누구나 부럽다고 하는 그런 가정환경.

그를 알고 있을 때,
이해할 수 없는 일이 셀 수 없이 일어났어요.

어디를 가든 무얼 하든 잠을 잘 때 마저 두려웠고
자신의 소유물로 만들려고 하는 게 미치도록 싫었어요.

그는 사람은 사람으로 치료해야 한다며
나의 치료를 가로막았고,
더 어두운 구렁텅이로 빠지게 하기도 했고요.

그는 어릴 때, 스스로 환경을 이겨내려는 노력하지 않았고
사람에게 의지하면서도 폭력성을 잃지 않았어요.

모두가 그렇다는 것은 아니지만 가정환경 탓이 컸어요.
저와는 너무나 달랐고
그의 입장을 겪어 본 적이 없으니 이해할 수 없었죠.

가정환경은 사실 그렇게 중요하지 않아요.
그 과정을 어떻게 지내왔느냐가 중요하죠.

위의 예시처럼 안 좋은 것들을 닮아버린 경우와,
오히려 더 단단하고 반듯하게 자라는 사람이 있죠.

우리는 내 주변 환경을 어떻게 사용하느냐가 중요해요.
그건 긍정적으로 생각하라는 말이에요.

전 우울을 주제로 한 글을 쓰지만
생각은 긍정적으로 하려고 노력 중이에요.

그래야 내 감정인 걸 받아들이고 이해할 수 있을 테니까.
그래야 당신의 마음을 이해하고,
다독여 줄 수 있을 테니까요.

#너의 아픔은 나의 즐거움

마음 둘 곳이 없어 너무너무 외롭고 힘들었던 날,
친구를 만났다.

어쩌다 보니 나의 힘든 부분에 대한
이야기가 나왔고 들어주기만 해도 위로가 될 것 같았다.

하지만 결과는 다르게 전개되었다.

공감한다며, 나는 그것보다 더 큰 걸 경험한 적이 있다며
상처에 소금을 잔뜩 뿌리는 게 아닌가.

나는 그 자리를 빨리 끝내고, 집으로 돌아와 눈물 흘렸다.

그저 들어주기만 하면 되는 일이었는데
굳이 꺼내지 않아도 될 이야기를 꺼내어
나를 더 힘들게 한 그 친구가 미웠다.

또 어떤 날에는 좋은 일이 있어 친구에게 말을 전했다.

역시나 비슷한 반응이었다.

나도 이전에 그런 적이 있다고 그 기분 안다고,
그날도 얼른 자리를 뜨고 집으로 왔다.

불쾌했다.
내 아픔과 기쁨은 아무것도 아니라는 듯이,
자신의 우월감으로 이용하고,
내 인생을 자신의 인생과 비교하는 친구가 더 미워졌다.

공감이라는 건 그런 것이 아니다.
묵묵히 들어주기만 해도 고개만 끄덕여 줘도 되는 것이다.

내가 덜 상처 받기 위해서는,
과감히 끊어 낼 줄도 알아야 한다는 것. 잊지 말자.

#계절마다 피는 꽃

봄에는 벚꽃과 목련이
여름에는 장미가
가을에는 코스모스가
겨울에는 동백이 피듯이,

우리도 저마다의 계절과 꽃이 피는 시기가 달라요.

내 마음이 추운 겨울이라고 해서
찬란하지 않지 않은 게 아니듯,

저마다 피는 시기가 달라서 그래요.
틀린 게 아니에요.

얼마나 매력적이에요.
자신만의 계절이 있다는 게.

#막상 시작하면 좋은 것들

저는 운동을 아주 싫어해요.
잘하지도 못하고요.
산책마저도 싫어해요.
도서관과 책을 좋아하지만
도서관 가는 길과 책을 고르는 일도 싫어해요.

하지만 막상 운동을 시작하고
산책을 시작하고
도서관에 갔다 온 후
운동하고 나서의 상쾌함과 산책길의 풀과 나무 같은 것,
책에 포스트잇을 붙이는 걸 좋아해요.

이렇게 시작하기까지 마음먹기가 어려운 것들이 있어요.
막상 시작하고 끝나면 너무나 간단한 일인데 말이죠.

그래서 '시작이 반이다'라는 말이 존재하는 것 같아요.

정말 부딪혀 보면 그렇거든요.

그렇게 간단한 것부터 시작해 꾸준히 하다 보면
언젠가 습관이 되어 덜 하기 싫고 덜 귀찮을 거예요.

자 이제, 찌뿌둥한 몸을 일으켜 나가봅시다.
하늘이 참 예뻐요.

#나 돈 좀 빌려줘

뭐든 나눠 주는 것을 좋아한다.
내가 줄 수 있는 선에서는 모두
나에게 남겨진 게 없더라도 모두.

받는 것을 생각하지 않고 주어야 행복하다.
받는 사람이 취향이 아니었어도,
고맙다고 하면 마냥 행복하다.

하지만 한가지 안 하는 행동이 있다.
바로 금전 거래를 하는 것.

금전 거래를 하게 되면 받을 마음이 안 생길 수가 없다.
그래서 그냥 준다고 생각하고 빌려준 적도 있다.

오랜만에 연락하는 것은 보통 두 가지로 나뉜다.
돈이 필요하거나 돈을 빌려달라거나.

그 액수는, 양심이 있다면
그 사람의 기준에서는 갚을 수 있다고 생각해서
빌려달라고 하는 것이 대부분일 것이다.

하지만 빌려주는 사람 입장은 다르다.
그 액수가 내 재산의 전부일 수 있고
갑자기 연락해서 돈을 빌려달라는 사람에게
줄 만큼의 돈도 마음도 없다.

그럴 때는 상대방 기분이 상하더라도 거절하는 것이 좋다.
거절은 잠시이지만 받을 땐 갑을이 바뀌는 경우가 대부분.
서로 마음만 상할 것이 분명하다.

한번은 이런 적도 있다.
왜 연락 한번 없다가 연락해서 돈을 빌려달라고 말하냐니까
너랑은 그 정도 사이밖에 안 되는 사이라서 그런다고.

어이가 없지 않나.
근데 맞는 말이기는 하다.
하지만 입 밖으로 꺼낼 필요는 없는 말이다.
상대방의 마음을 상처 내며
자신의 이미지를 깎아내리는 짓일 뿐이다.

누구든 돈이 엮이면 세상이 피곤해진다.
잠깐의 기분만 나쁘면 편하게 생활이 가능하다.

그리고 위와 같은 사람이 있다면 단칼에 버리자.
당신은 돈 따위보다 가치 있는 사람이니까.

#첫차는 누군가의 막차

얕은 잠을 자거나 잠을 못 자는 경우가 많다.

아침, 아니 새벽엔 진한 아이스아메리카노를 탄다.

창밖을 보면 벌써 불이 켜진 집이 많다.
새벽 근무를 끝내고 들어오는 사람들과
이제 막 나가는 사람들의 불빛들로 조용히 붐빈다.

원래대로였으면 난 자고 있을 시간이다.
참 봐도 봐도 생소한 광경이다.

각자 다른 기준과 패턴으로 열심히 살아가는 걸 보고있으면
부럽기도 하고 얼마나 출근하는 게 싫을까 생각도 든다.
평일에 출근하고 주말에 쉬는 일을
꽤 오랫동안 해왔기 때문에 마음을 알 것 같다.

금요일의 해방감과 동시에, 무언가 막혀있던 주말을 넘기고
일터를 향하는 마음은 무거워진 어깨처럼 한참 아래로
내려가 있을 것이다.

하지만 모두 각자의 중간 정거장이 있을 것이라고 믿으며,
멍한 눈으로 불빛들의 움직임을 바라본다.

응원합니다.
오늘 새벽도 그리고 내일의 당신도.

#있는 그대로 사랑해

'내가 아닌 모습으로 사랑받느니
있는 그대로 내 모습으로 미움받겠다.'

커트 코베인의 말입니다.

우리는 누군가를 사랑할 때,
상대를 바꾸려 하는 성향이 있어요.

상대의 말대로 바뀌게 된다면,
우리는 우리의 모습을 잃게 되고,
상대의 말만 따라 했던 과거 때문에
나의 본모습을 지키기 어려워요.

상대가 원하는 모습으로 바꾸는 게 아니라
나를 위해, 내 의지로 바뀌어야 합니다.

미움받을 용기를 무릅쓰세요.
행복한 미래가 옵니다.

#오랫동안 뿌린 향수

17년간 뿌린 향수가 있어요.
가격이 두 배가 비싸질 만큼.

처음엔 어린 마음에 빨리 어른이 되고 싶어 산 향수였어요.
쓰다 보니 5년이 되고 10년이 되고 17년까지 써왔죠.

제 지인들을 오랜만에 만나면
제일 먼저 하는 이야기가
'아직도 이 향수, 쓰는구나'일 정도로
저의 향기로 남았어요.

누구에게나 이런 향이 있다고 생각해요.

굳이 향수를 뿌리는 게 아니더라도
그 사람만의 향이 분명 존재 하거든요.

저도 몇 번 느껴봤어요.
섬유유연제의 향기라든지 그냥 그 사람 특유의 향내.

정말 낭만적인 일 아닌가요.

향으로 사람을 기억한다는 것.
그 향으로 오래오래 상대의 기억 속에 남는 당신이
그리고 내가 되길 바라요.

#비 온 뒤 흐림

비 온 뒤 맑음이라는 말이 있죠.
고생 끝에 낙이 온다. 와 일맥상통하는 단어이지요.

전 그 말이 참 싫더라고요.

왜 무조건 비가 온 뒤면 맑아야 하는 걸까요?
흐린 사람도 있을 건데요.

불행 뒤에 불행이 숨어, 다시 괴롭힐 줄도 모르죠.
꼭 성공하라는 말 같아서 강요로 들려요.

흐림이어도 괜찮아요.
먹구름이어도, 더 많은 비가 내려도 괜찮아요.

그 속에서 우리가 어떻게 대처하고 힘을 낼 수 있는지만
알아가면 되는 거잖아요.

항상 응원해요.
보이지 않는 곳에서도요.
당신은 꼭 맑지 않아도, 대단한 사람이 아니어도 돼요.

#피해자만 오는 병원

우울증이라는 건,
보통 상처받은 사람들이 생기는 경우가 많죠.

그런데 이 상처는 어디에서 온 걸까요.

분명 상처를 준 사람은 있는데,
상처를 받은 사람만 병원에 찾아가요.
같이 손 붙잡고 오는 게 아니라요.

우리는 무의식적으로 항상 남에게 상처를 주고 있어요.
나도 가해자일 수 있죠.

하지만 가해자인지도 모르잖아요.
일단 내 상처가 아프고 내가 힘이 드니까.

아무리 자신의 인생이지만,
남에게 내가 어떠한 영향을 끼치고 있을지
한 번쯤 생각해 봐야 할 것 같아요.

#핫팩 같은 따스함

하루면 식어버릴, 아니 하루도 안 되어 식어버리는 핫팩.
그런 마음이 가장 꽉 찬 마음이라고 생각해요.

그 마음은 24시간의 시간보다 짧고,
인생의 시간보다도 비교할 수 없을 만큼 짧지만

핫팩에게는 모든 일생의 순간이고,
모든 게 함축 되어있는 시간이니
더 소중할 거예요.

그처럼,
사람의 기준도 핫팩의 시간처럼 다르다고 생각해요.

어떤 사람은 돈이 세상에 전부일 수 있고
어떤 사람은 꿈이 세상에 전부일 수 있고
또 어떤 사람은 사랑이 세상에 전부일 수 있는 것처럼요.

남의 기준을, 가치관을 재단하지 마세요.
상대방의 전부를 재단하는 일과 같아요.

#곰팡이 핀 벽지

하물며 곰팡이 핀 벽지도 제거하지 않고 덧바르면
다시 위로 올라오는데,

마음의 상처를 사람으로 덮겠다고 마음대로 하지 마세요.

상처도 덧나면 굉장히 아프거든요.

#북향의 방

방이 북향이면 해가 잘 안 들어와요.
반지하 같은 느낌이 들 때가 있죠.

그럴 땐 창에 조명을 달아요.
마치 해가 뜬 것 같은 환한 조명으로요.

우린 마음만 먹으면 뭐든 바꿀 수 있어요.
창의 방향과 햇빛의 양까지도요.

마음을 다르게 가진다는 건,
어쩌면 해를 대신할 전구를
사러 나가는 일 같은 것일지 몰라요.

방향을 바꿀 수도 있을 만큼 큰 의밀 가질 수 있어요.

포기하지 말아요.
당신의 세상에도 빛이 깃들길 바라요.

#가장 중요한 것

우리는 살면서 가장 중요한 것들을 잊고 살아요.
가족의 사랑, 나의 건강, 관계의 소중함, 그 외의 많은 것.

익숙함에 속아 소중함을 잊는다고들 하잖아요.
잊지 않으려고 노력해도 잊혀지는 것들이
의외로 많이 있더라고요.

그만큼 더 많이 생각하고 아끼고, 봐야 한다는 의미에요.

시간이 없다는 핑계 지겹지도 않나요?

정말 시간이 없어도, 연락 한 통 해주는 것.
그것만으로도 상대는 살아가는 힘을 얻을 수 있어요.

뻔하다고 생각했던 말.

      '익숙함에 속아 소중함을 잃지 말자.'

아무것도 잃지 말아요. 우리.

#남의 떡이 더 커 보이는 법

우린 내가 가지지 못한 무언가를 갈망하죠.

하지만 막상 가지고 보면 나에게는 별것 아닌 그런 것들.
있어도 되고 없어도 되는 것 인데도요.

상대방도 마찬가지일 거예요.

내 장점이나 사물을 부러워하고 가지고 싶다고 생각하며
눈독 들이고 있을 거예요.

서로 부러워할 필요 없어요.
비교할 필요는 더더욱 없고요.

지금이 자신의 인생에 가장 잘 어울리니까.

#신호등 앞 정지선

도로를 운전하며 달리다 보면,
아무리 차가 없는 곳이라도 쌩쌩 달리는 곳이라도
횡단보도가 있는 곳이 있어요.

물론 그 앞에는 정지선이 있고요.
사람과 차의 안전한 적정선이죠.

그렇게 사람과의 관계에도 적정선이 있어요.

마음에 빨간불이 들어왔는데 배려의 적정선을 넘으면
오지랖이 되고, 배려를 안 해주는 것보다 못하게 돼요.

우리는 적정선을 얼마나 잘 지키고 있을까요.

#동그라미로 태어나는 우리

우리는 세상에 태어날 때,
모두 동그란 마음을 가지고 태어났어요.

넘어지고 다치고 쓰러지고 일어서며
모나고 깎이는 인생을 살면서 조각들이 떨어져 나갔죠.

그래서 보석이 된 사람도 있고
별이 된 사람도 있어요.

꼭 둥글게 살지 않아도 돼요.
우리는 각자의 모습으로 있을 때 가장 예쁘게 빛나니까요.

#나만 그런 줄 알았지

나만 아프고 나만 힘든 줄 알았어요.

그런데 나와 비슷한 사람들이 하나둘 나타나고,
비슷한 아픔을 겪으며 살아가고 있다는 것을 느끼죠.

우린 모두 다르면서도 같은 사람이에요.

그래서 남에게 더 말 못 하는 고민이 생겨
혼자 속으로 끙끙 앓기만 하고 있죠.

털어놔도 괜찮아요.
같은 아픔을 가지고 있을지 누가 알아요.
마음을 덜어줄지 누가 알아요.

#나에게만 엄격해

왜 나에 대한 기준에만 엄격하고
남에 대한 기준은 흐물흐물하게 딱 부러지지 못할까요.

남은 바꿀 수 없고 나는 바꿀 수 있을 것 같기 때문이겠죠.

근데 나도 안 바뀔 수 있고,
힘들고 울고 싶을 수 있잖아요.

남을 배려하고 챙기면서까지
자신의 마음을 무시하지 말아요.

오늘은 아무것도 안 하고 누워만 있어 보세요.
휴식을 주세요.

그다음에 엄격하게 대해도 되잖아요.
힘들고 싶어서 힘든 거 아니잖아요.

#한걸음 뒤로

심각하고 안 풀릴 것만 같은 일이 생기면
우리는 한 걸음 더 다가가 자세히 보려고 해요.

과연 그게 맞는 걸까요?

걸음을 멈추고,
한걸음 뒤로 돌아가서 멀리서 보세요.
다른 시선으로 보니 보이지 않던 것도 보이지 않나요.

자세히 보아 좋은 것도 있겠지만
가끔 멀리 봐야 보이는 것들도 있어요.

꼬여있던 실타래들도 점으로 보일 뿐,
큰일이 아닐 가능성이 높습니다.

한 걸음 뒤로 가서 바라본 세상, 꽤 아름다워요.

#사용한 사람

누구에게나 필요한 사람이 있습니다.

그렇지만 쓸모가 사라지면 버려지는 사람도 많아요.
자신의 쓸모와 용도가 다 되면 버림받는 거죠.

한번 당해본 사람은 어느 정도 눈치를 채고,
그럴 것 같은 사람들을 피하려고 하죠.

우리에게도 그런 사람들이 있어요.
남 탓만 할 일이 아닙니다.

사람의 쓸모를 보고 다가가면
쓸모가 끝나면 끝이니,
소중하게 여길 것이 아니면 다가가지도,
먼저 마음을 내주는 척하지도 마세요.

다치는 건 우리 모두이니까요.

#가면

매일 들르는 곳이 생겼어요.
바로 가면 가게예요.

미소 띠는 가면도 있고 무표정의 가면도 있어요.

아침마다 고민해요.
어떤 것을 사야 좋을까.
어떤 것이 오늘에 잘 어울릴까.

결국 오늘도 내 마음 상태와 반대로 하나 골라 쓰고 가요.

그 가면 가게는 바로 내가 가장 편안한 곳에 있어요.
삭막한 곳에 있을 것 같지만 가장 가까운 곳에요.

매일 들르는 단골손님이 있는데 좋지만은 않네요.

언제쯤, 이 가게가 망할까요?

#좁은 바람

바람은 보이지 않죠.
하지만 느낄 수는 있어요.

바람은 창이 넓은 사람보다,
창이 작은 사람에게 더욱 강하게 느껴져요.
좁은 틈일수록 더욱 차갑게, 세게 불어오기 때문이죠.

우리는 창을 넓게 열어둘 필요가 있어요.

햇살과 바람의 움직임과 나뭇잎의 향연을
더 선명하게 볼 수 있어요.

닫혀있던 창을 열어봐요.
어렵지 않아요.

좁은 바람보다 넓은 세상을 바라보기 위해.

#엉망인 하루

원치 않는 이유로 엉망인 하루가 있죠.

그럴 때, 저는 일부러 더 엉망으로 살아요.

책 읽는 순서를 차례의 순서대로 읽지 않고
마음 가는 대로 읽는다든가.
커피를 타는 순서를 가루 먼저 넣지 않고
설거지가 늘어도 두 잔에 나누어 반대로 탄다던가.

그러면 묘한 쾌감이 일어요.

순서대로 살지 않아도,
내 마음대로 지내도 아무 일도 없고, 기분이 좋아져요.

마음이 황폐하고 아무것도 하기 싫은 날엔
반대로 지내보세요.

상상하지 못한 기분들을 느끼기엔 이만한 방법이 없어요.

#흐르는 것

흐르는 것은 무엇이 있을까요?

흘러가는 강, 바다의 물결, 창에 흐르는 비, 그리고 눈물.

여기서 우리가 마음대로 할 수 있는 것은
눈물밖에 없어요.

하지만 눈물도 흘러가게 두면 자연의 섭리처럼
더욱 편안하고 평화로워져요.

그러니까 우리 참지 말아요.

흐르면 흐르는 대로,
그렇게 살아요.

#물속 빙하

사람은 마치 빙하 같아요.

물 위로 나와 있는 부분은 얼마 없지만,
보이는 부분에 더 치중하며 살게 되죠.

빙하는 물속에 있는 덩어리가 더 크고 투명한 법인데.
그렇게 자신을 많이 숨기며 살아가요.

하지만, 어쩔 수 없어요.

그렇게 하지 않으면,
자신의 중심이 흐트러지고
다른 사람에게 약점이 보여 이용당하기 아주 쉽거든요.

막막한 세상 속에서 살아가는 방법을 터득한
빙하들이 살고 있는 추운 세상이에요.

#들꽃과 화분

화분보다 들꽃이 더 좋아요.
어딜 가나 볼 수 있는 그런.

화분은 이리저리 옮겨 다닐 수 있어 편리하지만
심어진 꽃은 넓은 땅을 느낄 수 없죠.
그리고 나만 볼 수 있어요.

친구를 초대해서 보여주거나,
사진 찍어 보여줄 수 있지만
직접 보는 것과는 다르죠.

온실 속의 화초보다는
전 들꽃 같은 사람이 될래요.

작은 바람에도 흔들리고 쓰러져도,
어디에서나 언제나 볼 수 있게.
곁에 머물 수 있게.

#마주하면 줄어드는 것

우리는 보호를 위해,
담장 위 철조망을 세워가며 자신을 지켜요.

왜 그런지 곰곰이 생각 해봤어요.
두려움을 마주치기 싫어서겠죠.

내 마음이 집이라고 한다면,
강도가 들 수도, 위험한 동물들이 침범할 수도 있어요.

강도와 위험한 동물들은 걱정이에요.
걱정이 되니 두려움도 커지는 법이죠.

걱정을 마주해 보면 별것 아닌 일들이 참 많고
해결할 수 있는 일도 참 많아요.

두려움을 직면해요.
언제까지 철조망에 찔려가며 쌓아 올릴 수만은 없잖아요.

#웃자고 한 말이야

그래요.
당신은 웃자고 한 말이죠.

근데 웃음이 안나요.
왜일까요?

당신이 깎은 내 자존심과 상처 난 마음 때문이죠.
자격지심에 자신을 사랑하지 않아서,
말도 안 되는 말 좀 하지 말아요.

재밌으신가요.
자신한테 똑같이 해봐요.
당신의 약점을 가지고

이제 당신을 안 만날래요.
무례한 사람은 버리는 방법밖에 없으니까.

하하, 웃자고 한 말이에요.

#백지의 세상

내 마음의 세상도 한 장만 넘기면 백지가 되는
스케치북 같으면 얼마나 좋을까요?

가끔 그럴 때 있잖아요.
모든 걸, 초기화해 버리고 싶을 때.

백지의 마음이 되면
새로운 나의 색을 칠할 수도 있고
새로운 인생을 살아갈 수 있을 것 같잖아요.

저는 백지의 세상이 그리 좋지만은 않다고 생각해요.

우리가 그동안 쌓아왔던
나의 아름다운 색들도 함께 사라지는 거잖아요.
그동안의 내 노력도 물거품이 되어버리는 거예요.

잘 찾아봐요.
귀퉁이에 새하얀 백지가 조금 남아있어요.
그건 당신 것이에요.

아무도, 아무거나 막 칠할 수 없는,
용기라는 백지.

지우는 것보단, 새로운 나를 발견하는 것이 현명합니다.

#포기하자

지금의 삶이 너무 벅차다면, 포기해도 괜찮다.
하고 싶은 일만 하며 살아도 괜찮다.

남이 정해준 삶은, 내 삶이 아니니.

#커서 뭐가 되려고 그래

뭐라도 되겠죠.

행복한 사람이나 불행한 사람, 막연한 사람.

왜 항상 직업으로 행복을 판단하시나요.
왜 항상 권위로 돈의 단위로 판단하시는 거예요.

저는 행복한 사람이 되고 싶어요.

바람을 느낄 줄 알고 생명의 소중함을 알고
사람의 감정을 읽어 배려 해줄 수 있는 그런 사람이요.

저는 그런 사람이 되고 싶어요.

그러니까 돈으로 명예로 물어보지 말고
행복의 의미로 물어봐 주세요.

그리고 아무것도 안 되면 또 어때요.
그냥 겉치레 인사일 뿐이면서 상처 주지 마세요.

전 이미 빛나고 있거든요. 충분히.

#덕분에 고마워

'덕분에' 라는 말을 좋아합니다.

'때문에' 보다 억양이 부드러워서가 아니라
상대를 배려하는 마음이 담겨있기 때문이죠.

'고마워' 라는 말을 좋아합니다.

'미안해' 라는 말보다 진심이 느껴지지 않아서가 아니라
고마움에 미안해가 포함 되어있다고 생각하기 때문에요.

이렇게 언어 온도는 사람마다 다릅니다.

저의 온도는 이렇습니다.
당신의 언어 온도는 어떤가요.

#후회를 맡기다

어려운 일이 닥쳤을 때 어떻게 행동하시나요?

타인에게 조언을 구하는 성격인가요?
아니면 나에게서 답을 찾는 성격인가요?

둘 다 나쁘지 않은 방법이네요.

그렇지만, 결과에 다른 점이 숨어있어요.

타인에게 조언을 구해 행동한 사람은
실패하면 상대의 탓으로 돌리고 후회하고

나에게서 답을 찾는 사람은
실패해도 누구를 탓할 수도 없을뿐더러
자신에게 탓을 돌리며 경험이라고 다독이죠.

사람이란 자신 잘못을 잘 인정하지 않으니까요.

자, 선택해 봅시다.
후회하실래요, 경험하실래요?

꼭 둘 중에 선택하지 않아도 돼요.
정답지는 사람 수만큼 많으니까요.

#가로등 대신 별

긍정적일 때와 부정적일 때 중에서
희망은 언제 더 빛이 날까요.

저는 부정적일 때에 더 빛이 난다고 생각해요.

희망이라는 건 별과 같아서,
가로등이 흔하게 있는 도시들보다
깜깜한 시골길에서 별이 더 많이 보이는 것처럼
어두운 곳에서 더 크게 시작된다고 생각해요.
가로등의 뒤편이나 그림자가 생기지 않을 만큼 어두운 곳.

희망을 생각해 본 적이 많이 없는 거 같아요.
그냥 터널 속에 빛이구나 정도로만 생각했을 뿐.

그런데 그게 희망이었을지 누가 알았겠어요.
어두운 터널을 길게 길게 길게 걷고 있을 때 말이에요.

각자의 터널에서 빛이 보이면 그게 희망일 거예요.

그 빛을 따라 천천히 가다 보면
멀 수도 있고, 힘이 들 수도 있겠지만

분명 희망이 행복으로 데려다 줄 거예요.
아주 사소한 행복이라도요.

#멋쟁이 할머니

저는 커서 멋쟁이 할머니가 되는 게 꿈입니다.

밭일도 무심하듯 시크하게 할거고
다른 영감들이 꼬셔도 도도하게 대할 거예요.

그렇게 되려면 일단, 나 자신을 가꾸어야겠죠.

저는 일주일에 네 번은 운동하려고 하고,
아침마다 이불 개고 청소하고,
영양제도 잘 챙겨 먹고,
집안일도 도맡아 해요.

저의 루틴을 깨트리지 않고 건강하기 위해서요.

멋있어지는 첫 번째이자 마지막 방법은
나를 가꾸는 것이에요.

너무 막연하고 어렵다 생각이 들 수 있지만
저도 처음부터 이런 패턴으로 지낸 건 아니에요.

매일 술에 취해서 자고,
오후 늦게 일어나서, 또 술 마시고 자고
그렇게 지내다가 크게 한번 아프고 나니 안 되겠다 싶었죠.
그래서 바꿨어요. 뒤통수 세게 맞고.

나의 패턴을 바꾸려면 행동해야 해요.
'내일부터 해야지' 말고 지금 당장이요.

내일로 미루면 또 내일로 그리고 또 내일로 밀려요.
밀린 숙제처럼요.

아주 사소한 계획을 세우고,
해낸 자신을 칭찬해 주세요.
의욕이 더 올라갈 겁니다.

하루에 한가지, 꼭 해내기.

#어른이라는 건

어른이 되면 할 수 있는 것들이 많아진다.

할 수 있는 건 많아졌지만,
망설이고 걱정하는 것들이 더 많아졌다.

그래서 어른일 때가 더 할 수 있는 게 없다.
용기는 어릴 때 다 쓰고 오는 걸까.

하고 싶은 일은 정말 많은데, 속상하다.

#네가 먼저 연락해

연락 한 통 하는 게 그렇게 어려운 걸까?

내가 먼저 연락하지 않으면 오지 않는 연락들.

먼저 연락을 해도
며칠이 지나 답장이 오는 문자들.
받지 않는 전화들.

새삼 느낀다.

비어버린 나의 깊이를 채워 줄 마음이 없구나.
그저 그런 사이이고 싶구나.

#파도로 바위 깨기

시간이 빠르게 해결해 줄 수밖에 없는 일들이 있어요.

마치 물로 바위를 쪼개는 일 같은 것.

바위에 바닷물을 붓는다고 생각하고 있으면
저건 언제 깨지나, 깨지기나 할까, 이런 생각이 들어요.

하지만 작은 모래알들에 파도가 치면
예쁜 소리가 나면서 자연스레 부서져 나가죠.

계획도 같아요.
바위는 큰 계획이고, 모래알은 작은 계획이에요.

큰 계획은 쉽게 해결되지 않아요.
작은 것부터 천천히 해야 해요.

그래야 우리가 더 동글동글하고 단단하게
반짝거릴 수 있으니까요.

4장,

말이 없는 지평선 끝에서
#바다는 파도만 들이칠 뿐

#00

안녕하세요. 그리고 안녕히 계세요.

저는 꽤 먼 곳으로 여행을 떠나왔어요.
가이드를 하려면 미리 사전 탐사를 해야 하거든요.

아주 오랜 시간이 지나고 나면,
저를 보러 와주실래요?

기다릴게요.

#01

저는 지금 출구가 보이지 않는 터널을 지나고 있어요.

컴컴하고 약간의 악취가 나고
천장과 바닥에는 물이 흥건하게 떨어져 있어요.

높은 곳으로 온 것 같았는데,
지하보다 더 낮은 곳인 것 같아요.

삶을 살면서 불행했다고 느낀 만큼의 길이라는데,
금방 끝나지 않네요.

다른 사람들은 어땠을까요?

#02

다리가 너무 아파요,
그래도 저 멀리 빛이 희미하게 보여요.

이상하게 갑자기 숨이 막혀요.
무언갈 태우는 탄 내도 나고요.

탄 내가 나긴 하지만 이제 터널을 나갈 수 있을 것 같아요.
고지가 코앞이네요.

나가면 뭐가 기다리고 있을까요?

#03

여기는 엄마 아빠와 와본 곳 같이 생겼어요.

날씨는 우중충하고, 구석에 달이 걸려있어요.
제가 좋아하는 날씨와 달이에요.

왠지 느낌이 나쁘지만은 않네요.

바람도 안 불고 세상이 멈춘 것 같아서
걷는 길이 조금 외로운 것 빼고요.

오랜만에 느껴보는 산책이네요.

#04

숲속만 이어질 것 같았는데, 절벽 끝에 바다가 보여요.
바다가 얼마나 보고 싶었는지 몰라요.

전 투명하거나 에메랄드빛인 바다를 좋아했었잖아요?
딱 그 바다색이에요.

그렇지만 절벽이라 들어갈 수가 없네요.
바람도 많이 불어서 파도도 높아요.

그런데 색이 이렇게 맑다니,

#05

여기서 며칠이 지난 걸까요?
해도 뜨지 않고, 달도 그 자리에 있어서

하루가 지난 건지, 이틀이 지난 건지 모르겠어요.
잠도 오지 않아서 잠도 못 자고
만지지도 못하는 절벽 끝 바다만 보고 있어요.

저는 처음 온 그대로예요. 그 느낌 그대로,
왜 아무것도 변하는 게 없는 걸까요.

#06

정말 제가 무언가 크게 잘못을 한 걸까요?
왜 이런 무의미한 시간에 갇혀버린 거예요?

너무 답답해요.
좋아하는 것들을 앞에 두고도
이젠, 하나도 기쁘지 않아요.

그냥 여기서 나가고 싶은 마음뿐이에요.

#07

다시, 어두운 동굴 속으로 들어왔어요.
길을 잃어서 한참이나 헤매었어요.

그런데 여긴 처음의 그 동굴이 아닌가 봐요.
따뜻하고 빛이 살짝 비추는 느낌이 들어요.

아늑하지는 않아요.
답답해요, 숨이 막혀요.

#08

갑자기 하얀 물고기 한 마리가 나타나서 말을 걸어요.

바다에서 나왔나?

따라오라는데 가야 할지 말아야 할지
고민도 못 하게 다리가 안 움직이네요.

그리고 자꾸만 숨이 막혀요.
명치가 부러질 만큼 아파요.

잠시 누워야겠어요.

#09

깜빡 잠이 들었나 봐요.
눈을 뜨니까 아까 그 하얀 물고기가 보여요.

난 도대체 어딜 갔다 온 걸까요?

물고기가 친구를 데려왔나 봐요.
그런데 모두 울고 있어요.
미안해요, 울려서.

그런데 아직도,
숨이 막히고 명치가 너무너무 아파요.

꿈인지 현실인지 모르겠어요.

#10

하얀 물고기가 자꾸 산소통을 주며 바다로 들어가자고
해요.

파도가 저리 치는데 어떻게 가냐고 했더니,
물속은 잔잔하고 아름답대요.

또 그러면 봐야 하잖아요.
입에는 산소마스크를 끼고,
한 손에는 산소통에 이어진 긴 줄을 붙잡고
다른 손에는 하얀 물고기의 손을 잡고서 바다로 뛰었어요.

정말 아름다웠어요.
숨은 조금 막혔지만요.

#11

그거 아세요?

물속에서도 달이 보여요.
그것도 선명하게요.

절벽이 무서웠지만 한고비 넘긴 것 같아요.

이게 다 하얀 물고기 덕분이에요.

그런데 왜 자꾸만 숨이 막히죠?
물 속이라 그런 걸까요?

얼른 물 밖으로 나가자고 해야겠어요.

#12

어?
그런데 말이 안 나와요.

역시 물 속이라 그런가 봐요.
혼자라도 올라가야겠어요.

어라, 다시 다리가 안 움직여요.
큰일 났어요.

하얀 물고기를 툭툭 치며 위로 올라가자고 했는데,
한 번 들어오면 못 나간대요.

녹아서 물이 되는 수밖에 없대요.

#13

저 물속 멀리서 처음 보았던 불더미가 다시 보이고,
몸이 점점 뜨거워지고 있어요.

손도 발도 점점 물에 녹아내리고 있어요.
무서워요.

#14

결국 다 녹아 버려서
파도에 몸을 맡기는 수밖에 없어요.

하얀 물고기가 갑자기 사라졌어요.
저랑 똑같이 물에 녹아 버린 걸까요?

안 되는데, 우리 가족들이랑 거닐어야 할 곳이 많은데.
정신이 멍해져요.

#15

어수선한 분위기 속, 숫자 세는 소리가 빠르게 들린다.

#16

삐 -

삐 - 한 음 이후 울음소리만 넘쳐났다.

#17

나는 화장 되었다.

수풀이 우거진 기나긴 터널 끝,
절벽에서 보이는 맑은 바다에 뿌려졌다.

#18

나를 뿌리고 돌아가는 길.

모두 가지 말라 소리쳤지만
아무도 듣지 못했다.

여전히 달이 비추고 눈이 내린다.
조금은 포근해졌다.

파도에 몸을 맡기며 유영하다 잠이 들었다.

#유서

나의 죽음이 헛되지 않았기를.

세상의 많은 것을 보고 느끼며
좋은 생이었다. 라고, 생각하며 떠났기를.

나의 사랑하는 사람들이 아프지 않기를.

후회는 있었을지 몰라도
하고 싶은 일들, 하고 싶었던 꿈들 다 이루며 살았기를.

나의 죽음이 당신들에게 슬픔으로 뒤덮여지지 않기를.
가끔 마음속에서 꺼내어 보면 아름다운 추억으로 남았기를.

사무치는 눈꽃과 파도에도
눈물 흘리지 않기를, 항상 행복하시기를.

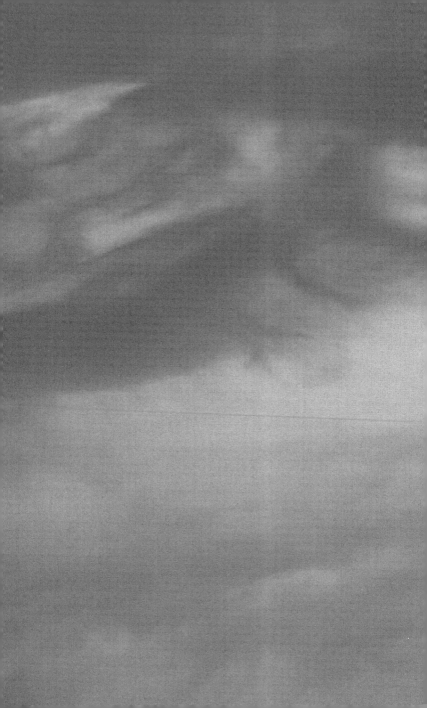

0장,

찬란한 조각들
#남겨진 자들의 그리움

\#

너의 친구여서 행복했다.
고생했다. 편히 쉬어.

NJ,

#

먼저 가라,
함께 하는 날 소주 한잔하자.

GR,

\#

갑자기 떠나서 할 말이 많은데, 남겨둔 말이 많네.
다음에 보면 더 살갑게 못 한 이야기 많이 나누자.

DH,

#

행복해.
그리고 미안해.

SJ,

\#

소중한 여행이었길.
행복한 기억만 가지고 가세요.

SH,

\#

왜 이렇게 젊은 나이에 떠난 거니?
살아있는 동안 언니가 많이 챙겨주지 못해서 미안해.
어떤 슬픔과 아픔이 있었는지는 모르겠지만
그곳에서는 부디 행복하고,
우리 다시 만날 그날을 기약하자.
잘 지내고 있어.
보고 싶고 그리울 거야.

내 동생이어서 고마웠다.

SY,

#

언제나 나랑 가장 같은 위로로
어루만져 주던 나의 소울메이트.

YH,

\#

네가 세상을 떠나기 전에
나에게 걸었던 마지막 전화를 받았었다면
너의 마음은 조금 달라졌을까?
유난히도 정이 많던 네가 그리운 밤이야.
거기선 편안하길 바라.

KH,

\#

나의 심장을 오려 너에게 줄 수 있다면
그렇게 하고 싶다.

조금만 더 함께 있어 주지.

네가 원망스러울 때도 있겠지만
항상 기억하고 사랑할게.

안녕.

SH,

닫으며,

가족들과 지인들이 많이 거부해서 당황한 마지막 목차.

어느 정도 예상은 했지만, 이 정도 일 줄은 몰랐어요.

이번 계기로,
제가 이만큼이나 많은 사랑을 받는 사람인지 깨달았습니다.

그리고 더 밝아져야겠다고 느꼈어요.

그렇지만 우울함을 쓰는 작가인데 어떡하나요,
어느 정도 원망의 눈초리는 참아야죠.

죽음이란 무거운 주제를 언급했지만,
절대로 가볍게 생각하지 않으셨으면 해요.

사람의 목숨은 무엇과도 바꿀 수 없는 것, 아시죠?
남겨진 사람의 슬픔을 느껴보시라고 쓴 글일 뿐입니다.

마지막으로, 제 글을 사랑 해주셔서 다시 한번
감사드립니다.

그리고 제 사람들과 독자 여러분들 모두 애정합니다.
제가 많이 아껴요.

_겸 드림

무지개는 없어

발　행 | 2024년 02월 29일
저　자 | 이겸
사진출처 | Desined by Freepik
펴낸이 | 한건희
펴낸곳 | 주식회사 부크크
출판사등록 | 2014.07.15.(제2014-16호)
주　소 | 서울특별시 금천구 가산디지털1로 119 SK트윈타워 A동 305호
전　화 | 1670-8316
이메일 | info@bookk.co.kr

ISBN | 979-11-410-7447-0

www.bookk.co.kr
ⓒ 무지개는 없어

본 책은 저작자의 지적 재산으로서 무단 전재와 복제를 금합니다.